DU MÊME AUTEUR

Aux Éditions Gallimard

LE SERMENT DES BARBARES, roman, 1999. Prix du Premier Roman 1999. Prix Tropiques, Agence française de développement 1999 (« Folio » n° 3507).

L'ENFANT FOU DE L'ARBRE CREUX, roman, 2000. Prix Michel Dard 2001 (« Folio » n° 3641).

DIS-MOI LE PARADIS, roman, 2003.

HARRAGA, roman, 2005 (« Folio » n° 4498).

POSTE RESTANTE : ALGER. Lettre de colère et d'espoir à mes compatriotes, 2006 (« Folio » n° 4702).

PETIT ÉLOGE DE LA MÉMOIRE, quatre mille et une années de nostalgie, 2007 (« Folio 2 € » n° 4486).

LE VILLAGE DE L'ALLEMAND ou le journal des frères Schiller, roman, 2008. Grand Prix RTL – *Lire* 2008, Grand Prix SGDL du roman 2008 (« Folio » n° 4950).

RUE DARWIN, roman, 2011. Prix du Roman arabe 2012 (« Folio » n° 5555).

GOUVERNER AU NOM D'ALLAH. Islamisation et soif de pouvoir dans le monde arabe, 2013 (« Folio » n° 6061).

2084. LA FIN DU MONDE, roman, 2015. Grand Prix du roman de l'Académie française 2015 (« Folio » n° 6281).

ROMANS. 1999-2011, collection « Quarto », 2015.

LE TRAIN D'ERLINGEN

BOUALEM SANSAL

LE TRAIN D'ERLINGEN

ou

LA MÉTAMORPHOSE DE DIEU

roman

GALLIMARD

Pensées reconnaissantes à Henry David Thoreau, Charles Baudelaire, Franz Kafka, Constantin Virgil Gheorghiu, Dino Buzzati ainsi qu'à deux auteurs anonymes. Cette chronique sur les temps qui courent leur doit beaucoup.

Prends des jumelles et regarde autour de toi, jusqu'au mur d'enceinte, et pose-toi la question : suis-je libre ?

Et agis en conséquence.

PROLOGUE

Ce roman raconte les derniers jours de la vie d'Élisabeth Potier, professeure d'histoire-géographie à la retraite, habitant la Seine-Saint-Denis, victime collatérale de l'attentat islamiste du 13 novembre 2015 à Paris. Après quelques jours entre la vie et la mort, elle émerge de son coma avec une autre personnalité et c'est sous cette identité qu'elle décédera un mois plus tard. Décrypter le témoignage écrit qu'elle a laissé à sa fille Léa, et à nous incidemment, n'est pas facile, les voies de l'au-delà sont impénétrables. Pour y comprendre quelque chose, il faut passer par l'incroyable histoire qu'Ute Von Ebert, cheffe actuelle de la puissante dynastie Von Ebert, habitant Erlingen en Allemagne, dont l'empire financier et industriel, né en Amérique au XIXᵉ siècle, s'ancre aujourd'hui dans les cinq continents, a laissée par écrit à sa fille Hannah, alors que le monde s'écroulait autour d'elle et que la survie des habitants d'Erlingen dépendait d'un train fantôme. Entre les deux femmes existe un lien par-delà le réel. Et comme on hérite du mystère de ses parents, leurs filles, Léa et Hannah, qui vivent toutes deux à Londres, sont prises dans le même mystérieux lien de gémellité qui liait leurs mères.

Les deux histoires additionnées sont une quête de vérité à travers les continents et les époques, vérité que certains, que nous dénonçons au passage, affirment posséder en exclusivité et entendent imposer au monde entier. La construction du roman s'éloigne notablement des cadres habituels de la narration romanesque et peut dérouter, mais ainsi est le chemin de la vérité, bien fait pour nous perdre. Dans cette vie, rien ne nous est donné gratuitement. La lecture, si elle s'accompagne d'une véritable méditation, est un acte initiatique.

PREMIÈRE PARTIE

LA RÉALITÉ DE LA MÉTAMORPHOSE

Toi qui entres dans ce livre,
abandonne tout espoir
de distinguer la fantasmagorie de la réalité.

Bonjour Hannah chérie, c'est maman.

Excuse-moi si je déblatère, en ce moment je fais tout dans l'affolement... je dirais plutôt la fébrilité, je n'ai pas peur, je veux juste faire vite et bien, je n'y arrive pas, ça m'énerve. C'est l'âge, tu me diras. Bon, d'accord c'est l'âge, mais je suis née fébrile, c'est donc autre chose... va savoir quoi. Il y a aussi que ce suspense est insupportable. Chaque jour on nous dit que le train va arriver et chaque jour on nous dit que finalement il ne viendra pas. Il faut sans cesse se tenir prêt, c'est épuisant. À quoi bon enfin attendre si cette fichue machine ne se montre pas ? Mourir ici ou ailleurs, quelle différence, un trou est un trou.

Imagines-tu le cauchemar que ça va être d'embarquer toute la population dans six, dix, vingt wagons si on a de la chance ? Nous sommes bien douze, treize mille habitants à Erlingen, non, sans compter les paysans des environs qui vont rappliquer avec leurs grosses vaches, toutes équipées de leurs gros bourdons. Tu vois ça, des gens qui courent avec leurs valises d'urgence, des enfants qui hurlent, des mamans éperdues, des brutes qui menacent, des fous qui trépignent, des bestiaux qui beuglent ? *Herr Major* et sa bande de bras cassés devront nous transformer en sardines ou tirer dans le tas. Ça ressemblerait à quoi, *mein Gott...* c'est le train de la mort cette histoire... on a fait mieux comme sauvetage... Si Noé voyait ça... Bon, j'arrête le cinéma.

J'ai rassemblé les lettres que je t'ai écrites ces derniers mois et que je n'ai pas pu t'envoyer. Rien ne fonctionne à Erlingen et la poste moins que le reste, elle a tout bonnement disparu. On ne savait pas cette chose si importante, les gens s'y rendaient à reculons. J'en fais un paquet que je t'enverrai si je peux, sinon je le glisserai dans ta cachette, derrière le curieux miroir que tu as installé dans ta salle de sport olympique... C'est le moment de te le dire, ma chérie, j'ai toujours su où tu cachais tes petits secrets de vilaine fille, tes clopes, les petits mots de tes idiots d'amoureux... Hé remets-toi, je ne les ai pas lus, j'avais trop peur de mourir de rire ! Un jour, quand la vie reviendra, tu repasseras à la maison, tu les trouveras dans *notre* cachette (chut !). Tu sauras ce que nous avons vécu. J'imagine que c'est pareil chez vous, coupés du monde ou pas loin. On dit que la désagrégation est planétaire, est-ce vrai ? Dis-moi ce qu'il en est à Londres, êtes-vous encore en vie ? Si on se revoit dans ce monde, tu me raconteras.

Bah, on s'en sortira, va, ce ne sera pas la première fois que l'humanité repartira de zéro. Ce monde est si pauvrement débile qu'il commet les mêmes pauvres débilités depuis les origines. Celle-ci est quand même grosse, tu en conviendras, et à mon avis la bête n'a pas fini de se métamorphoser. Le grand Kafka a vu petit avec son horrible insecte qui terrorise la famille et les voisins de palier puis subitement se meurt de sa monstruosité. Pas très crédible cette mort opportune, n'est-ce pas ? En plus il a fait court, il ne nous dit pas un traître mot du pourquoi du comment son héros, le jeune Gregor, s'est métamorphosé en cafard géant durant son sommeil. Que voulait-il démontrer par là : que la frontière entre le réel et le virtuel n'existe que parce que nous manquons d'imagination ou au contraire parce que l'imagination est notre façon de voir le réel ? Mais alors où se situe la mort, dans le virtuel ou dans le réel ? Et qu'est-ce que le réel vu du virtuel et qu'est-ce que le virtuel vu du réel ? Sacré Kafka, chez lui tout était kafkaïen, ce garçon n'avait pas un gramme de logique dans sa tête de juif tchéco-allemand.

*

Mes petites aides, Magda et son lymphatique mari Helmut, te saluent bien. Helmut s'est fendu d'une belle réflexion : « *Ouh, elle a dû bien grandir !* » C'est pour toi. J'ai répondu : « À vingt-sept ans, si on grandit c'est qu'on a mis des talons » et j'ai souligné que la dernière fois qu'ils t'avaient vue, il y a trois ans, tu faisais un bon mètre soixante-quinze à la toise. Ils sont là tous les jours. Je me demande qui tient compagnie à l'autre et qui en fin de compte doit payer le service, eux ou moi. Il y a des moments, je ne te dis pas, je me sens dépendante, ça me tue... je réagis à la seconde, je me fais cinglante, je les vouvoie de haut en leur donnant du « madame » et du « monsieur » pour nous rappeler à tous que la patronne c'est moi, la baronne Ute Von Ebert, des mondialement célèbres biscuits Ebert « *Der König des Keks* », du moins les jours de la semaine pour lesquels je les ai appointés, six matinées pour la Magda comme gouvernante et garde-malade et trois pour l'Helmut dans le rôle du bricoleur maladroit. C'est la peur qui les rend assidus, leur banlieue s'est vidée, elle serait infestée par les Ombres, les bonnes gens rentrent en ville pour la sécurité, et pour être à demeure quand le train fantôme daignera apparaître. Ceux qui ne trouvent pas un toit campent autour de la gare et ne quittent pas des yeux les rails jusqu'à l'horizon. Les étrangers ne se montrent pas, ils hésitent, rejoindre la ville intra-muros où ils sont mal vus, prendre le large ou gagner le maquis, ce qui ne clarifie pas le jeu, on craint des surprises de leur part.

Pour ce qu'il nous reste de temps à vivre dans cette galère, je vais peut-être proposer à ces fidèles employés d'emménager ici, temporairement s'entend, la maison est trop grande, depuis ton départ elle a quintuplé de volume, elle résonne de vide et de souvenirs… c'est vrai qu'elle fait un peu château hanté, il suffit de lancer la rumeur pour qu'elle le soit réellement. Je n'ai peur de rien mais parfois, certains soirs, j'ai des palpitations. Magda cuisine et me toilette, et gouverne la petite valetaille (elle aussi apeurée… je sais que toutes et tous dorment ici dans les combles et les dépendances mais je ferme les yeux, ils ont trop peur de rentrer chez eux dans leurs fichus quartiers), Helmut s'occupe des courses, serre les robinets, surveille les environs et surtout il me rapporte tout ce qui se dit et se passe en ville. Il a une oreille sûre dans le *Gemeinderat*, l'appariteur du *Bürgermeister* en personne, ils sont cousins ou quelque chose comme ça. Son côté passe-muraille fait des merveilles, il entre et sort comme il veut, les gens le regardent, lui parlent mais ne le voient pas. La pagaille serait à son comble, à son avis la bombe n'est pas loin d'exploser, les officiels gesticulent, tournent en rond, racontent n'importe quoi, enchaînent les réunions et les messes basses… le reste du temps, ils se tiennent la tête entre les mains et respirent comme des phoques. Quelle horreur ! Les gens bêlent dans les rues comme s'ils cherchaient leur maman ; ils se jetteraient dans le ravin s'ils en avaient un à portée de vue.

« En est-il qui sonnent le tocsin, haranguent les foules, appellent à dresser les barricades ? »

Helmut n'a rien vu de tel. L'affolement et l'abattement seuls règnent en ville.

« Et les jeunes ? »

« *Ah c'est compliqué, madame, ils ne se comprennent qu'entre eux, et seulement quand ils délirent, ils semblent se dire que l'ennemi devient un ami si on partage ses idées, ils croient aussi que le véritable ennemi c'est nous, le soi-disant ennemi est un ami qui nous veut du bien.* »

« Quoi encore ? »

« *Ils désirent communiquer, échanger, apprendre de l'autre et se disent prêts à traverser les lignes pour courir fraterniser avec lui.* »

Ach so ! Que faire, leur expliquer, les retenir, écrire à l'ennemi pour les renvoyer gentiment ou condamner leurs parents au bannissement pour endoctrinement dangereux de leur engeance ?

« *La Sécurité sociale, les congés payés et tout le toutim, c'est le cancer des nations civilisées, ça rend débile* », disait l'oncle Gustav. Il adorait philosopher avec un drapeau à la main : « *Si on enlève à un homme le souci de sa sécurité et celle de son pays, il n'est plus un homme mais un mouton* », « *La liberté est un tout, son cœur est la fierté d'être responsable de soi et de sa famille* ».

Sur la question des primes, il était catégorique : « *Tout pour les anciens combattants, rien pour les pacifistes idiots.* » Je crois qu'il n'avait pas tort. Ce pays a si longtemps vécu dans la paix et la bonhomie qu'il ne sait rien de la guerre, de ses ruines et de ses ruses, il confond tout avec tout, la chose et son contraire. Pour l'expliquer, ils disent que c'est une nouvelle maladie, une épidémie. D'accord, il faut alerter l'hôpital alors, pas les gendarmes, et si c'est la guerre on envoie la troupe et les canons, pas les agents du service de la déradicalisation de printemps quand même. Dire qu'on a voté pour ces abrutis, je te jure, on devrait les livrer à l'ennemi, il saurait quoi faire, lui... Helmut dit qu'il est aux portes de Mörlingen. Personne ne l'a vu mais comme il est partout dans le pays et dans le monde, rien n'interdit qu'il soit aussi à Mörlingen et bientôt à Erlingen.

Je plaisante, je plaisante, mais la situation est affreusement désespérée. Elle a évolué comme jamais nous ne l'aurions seulement envisagé, tout manque, rien ne marche, on vit sur les stocks, bientôt on se prendra à la gorge pour un quignon de pain. Dans la paix il n'y a pas de raison de penser à mal, et tant que le crime n'est pas commis il n'y a ni victime ni coupable, on sourit à la vie, n'est-ce pas ? L'affaire était louche dès le début pourtant, l'ennemi n'est pas tombé du ciel, il sortait bien de quelque trou, *verdammt*, un enfant l'aurait compris. Quand avons-nous cessé d'être intelligents ou simplement attentifs ? On ne le saura jamais maintenant, *es ist ein Geheimnis mit sieben Siegeln*. Si la raison sombre, elle sombre, il n'y a pas de recours. Le résultat est que nul ne sait à qui, à quoi on a affaire, à ce stade on dit ennemi, le mot englobe toutes les hypothèses, ce peut être les Soviétiques, les Chinois, les Nord-Coréens, les musulmans à Dieu ne plaise, mais aussi des zombies, des mutants, les martiens pourquoi pas, voire simplement des obsessions persistantes ou des malédictions d'un genre nouveau, ça ne se combat pas de la même manière.

Pourquoi diable ne s'est-il trouvé aucun sage et valeureux philosophe pour tancer le Prince ? « *Pauvre fou, si tu ne sais pas qui sera ton ennemi demain et après-demain, sache alors que tu as déjà perdu toutes les guerres à venir et que tu vis dans le sursis.* » Est-ce si difficile de dire les évidences ? Si tu me dis qu'il n'y a plus de philosophes depuis la Grande Époque, dis-moi alors, toi Hannah qui as réponse à tout, qui pensait dans ce pays durant tout ce temps ? Je n'ai pas souvenir que nous ayons jamais manqué d'émettre de bonnes et vraies questions, elles pouvaient parfaitement, ce me semble, exciter des penseurs honnêtes et les pousser à se dresser en chevaliers sans peur devant les rois malfaisants. Quand le courage est là, les mots pour dire sa colère viennent aisément. Ce n'est pas normal de cacher à l'humanité combien elle est dangereuse pour elle-même et pour la tranquillité du monde ; le principe de pullulement malsain qui l'habite est infini alors que le monde qu'elle occupe est contraint dans ses mouvements et ses dimensions.

S'il te plaît, ma chérie, prends soin de toi et pense à moi avec le sourire, ça m'aidera à mourir rassurée. Que ça ne t'empêche pas de m'écrire... la vaillante poste reprendra bien du service, un jour.

Ta maman qui t'aime, ciao mia tesoro (j'apprends l'italien avec Magda tant qu'il lui reste un peu de son latin maternel et ça aide à passer le temps).

PS : En plus des lettres, tu trouveras dans *notre* cachette de la paperasse officielle (des titres, des copies certifiées, des choses, rappelle-toi, tu es l'héritière de l'empire Ebert) et... ne ris pas, un roman, il demande à être travaillé, si tu veux bien, les chapitres sont éparpillés dans les lettres ou sous forme de notes, groupe-les à ta manière, trouve de bons liens, et si je ne suis pas là quand tu reviendras à la maison, publie-le sous ton nom... s'il y a encore des éditeurs, des livres et des survivants pour les lire. Je lui ai donné pour titre *Le train d'Erlingen* et pour sous-titre *Lettres à Hannah*. N'oublie pas de le remplacer par *Lettres à maman*, ou si tu veux de la distance *Lettres à Ute*, mais bon tu mettras ce que tu voudras. Tu verras, c'est intéressant, en quelques pages, je raconte ce pauvre monde qui se meurt la bouche ouverte en croyant énoncer des vérités premières qui ne sont que dernières et bonnes à jeter à l'égout.

Buongiorno, Hannah mia, c'est maman.

J'espère que tu vas bien... bien que, excuse-moi, je ne sache pas trop à quoi cela correspond dans cette Great Britain où en toutes choses on fait le contraire des autres, mais comme disent les philosophes chinois, on s'en fiche, chacun mange son chien comme il veut. Si tu fermes les yeux, tout est noir et immobile, même la lumière du soleil. J'aime bien aussi quand ils disent que la terre tourne pour elle-même, pas pour les hommes.

Je n'ai toujours pas compris ce qui t'a pris d'aller t'y enterrer, l'amour n'est pas une raison pour devenir bête, son fiancé on le ramène à la maison et on le rééduque. Jadis on lui passait la corde au cou pour vite le mater et hop on lui fourrait le mors entre les dents. Une fois bien nourri, il cesse de gigoter et ne pleure plus après sa maman, ses copains et son quartier.

De mon temps, on voyait ce pays comme une île déserte, habitée par des fantômes et des mouettes, et périodiquement visitée par des vampires des confins transylvaniens, personne n'aurait jamais conçu le projet de courir s'échouer de la sorte. *Wuthering Heights, The Hound of the Baskervilles, Dracula, Jack the Ripper* et tutti quanti, qu'on avait tant de mal à lire tant ils étaient lugubres, nous en avaient apporté la confirmation, l'île était bel et bien démoniaque. Et voilà qu'aujourd'hui c'est le must, on y chante et on y danse comme s'il y pleuvait du soleil toute l'année. Enfin, ce qu'on retient dans le contexte actuel c'est qu'une île dressée sur des falaises abruptes comme elle est plus facile à défendre contre les envahisseurs qu'un continent à ras d'eau balayé par les vents.

Un jour, soit dit en passant, tu penseras à m'expliquer pourquoi ce pays est le seul sur terre à avoir tant de noms : England, Great Britain, United Kingdom, British Isles, Albion... est-ce pour tromper ou pour séduire ?

Pour Erlingen, c'est sûr, le début de la fin a commencé le 11 octobre. Sans doute en est-il de même pour beaucoup de villes dans le pays, il y a eu un jour où tout a basculé pour elles. La guerre, si c'est une guerre et pas une épidémie, s'est propagée à une telle vitesse dans le monde qu'on peut dire qu'elle est déjà perdue par les uns et gagnée par les autres, et les autres ce n'est pas nous, nous on est entre drapeau blanc et sauve qui peut. À Erlingen, on ne parle plus que du train. J'imagine que chez vous, les insulaires, le sujet c'est le bateau fantôme.

Je suis désolée d'être négative, ma chérie, c'est décourageant je sais, mais que veux-tu, la vieille femme que je suis, impotente un jour sur deux, qui ronchonne plus qu'à son tour, qui est portée au catastrophisme comme tu sais, pense plus facilement au malheur qu'au bonheur. Le seul bonheur pour moi en cette vie c'est toi. Or je n'ai pas de nouvelles de toi et je ne peux te donner des miennes, quelle horreur, mais bon il faut savoir se contenter de ce qu'on a, n'est-ce pas, alors je pense tout le temps à toi et je t'écris beaucoup, ça me rend heureuse. Tu as toujours été forte, décidée, calme. De qui tiens-tu ça ? Pas de moi qui marine dans la fébrilité depuis l'enfance et pas de ton pauvre père qui, sorti de son laboratoire où jour après jour il cherchait la formule du biscuit idéal, ne savait reconnaître ni le nord ni le sud. Un génie a veillé sur toi et il s'y connaissait. J'aimerais tant te serrer dans mes bras, tu me passerais un peu d'énergie et de clairvoyance.

J'espère de tout cœur que le monde encore indemne va réagir et d'abord commencer par réfléchir. Si on ne croit pas à la vie et à la liberté, on ne peut pas les défendre, pardi, et si on ne le fait pas, il n'y a simplement pas de raison de continuer à vivre. J'ai idée qu'à force de tout avoir, l'essentiel et le superflu, et en plus le défendu et le nuisible, les gens se sont épuisés, l'ennui les a dévorés. À croire que la magie de la vie, de la liberté, et l'aspiration au bonheur ne fonctionnent que chez ceux qui souffrent de leur manque. Heureux les pauvres, les démunis et les anxieux sans repos, le ciel est à eux. Tu vois, je philosophe comme tonton Gustav, tête carrée et hobereau de son état, qui nous faisait tant rire. Dis-moi comment, partant d'une situation normale, nous sommes arrivés à ça, marcher sur la tête comme des poireaux ? Là je pense carrément que les pacifistes sont les ennemis de la paix et que les hommes de paix sincères sont tout à fait légitimes de les attaquer et de les réduire. Ce sont eux qui nous ont menés où nous sommes, Gros-Jean comme devant, ils nous ont fait rater les meilleurs combats de la vie. C'est fou quand même, notre amour de la vie, de la liberté et de la paix a fait de nous de pauvres diables effrayés, aptes à toutes les lâchetés, quand la haine de la vie, de la liberté et de la paix a donné à notre diabolique ennemi le goût de l'éternité et de la toute-puissance, et la détermination pour les obtenir par tous les moyens. Quel drame que d'en être arrivé à penser que la défaite et la soumission seraient pour nous une solution satisfaisante. Il y a de quoi se révolter mais c'est vrai, quelle autre place sinon la dernière attribuer aux crétins confits dans la mollesse que nous sommes ?

*

Je te parlais du 11 octobre. C'est ce jour, après quelques nuits de bla-bla sinueux, que le valeureux *Gemeinderat* de notre ville a pris la décision d'organiser la fuite plutôt que de préparer la défense. La soumission n'a pas été écartée, c'est le joker. Helmut a pu avoir copie du procès-verbal de la réunion. Je te résume le verbiage, tu verras par qui nous sommes gouvernés. Certains, Hans Schulz, Dieter Hesse, Georg Müller et d'autres de nos connaissances que nous savions intelligents, et raides du cou comme on sait l'être chez nous à propos de rien, eh bien figure-toi que non, ils sont les rois des idiots, des couards et des escrocs. Je ne crois pas qu'ils soient des assassins endurcis mais là, au milieu de leur bavardage ils ont carrément prémédité un génocide. Le temps dira s'ils ont joint le geste à la parole.

Lis ça pour voir, c'est un extrait du procès-verbal de la réunion, Helmut l'a obtenu de son brave et providentiel cousin. Il ne te reste qu'à imaginer ces traîtres tremblant, suant et bégayant pour voir la vérité dans toute son horreur, c'est affligeant.

Dans le verbatim, H. S. c'est Hans Schulz, D. H. c'est Dieter Hesse, un copain d'affaires de ton père, J. S. c'est Jürgen Stein, le *Bürgermeister*, J. M. est cet abruti de Julius Masttal qui dirige l'office de tourisme, G. M. c'est Georg Müller, le notaire et roi de l'évasion fiscale, quant à G. G. c'est Gunther Graz, souviens-toi c'est le directeur de la Banque générale, son abruti de fils te faisait la cour au lycée, etc., je ne vais pas te faire la liste de tous ces bons à rien.

Voici l'extrait, assieds-toi bien et lis :

...
H. S. : Euh... je ne suis pas convaincu... non vraiment... je dirais que... euh... ces personnes...

M. B. : Quelles personnes ?... Parlez clair, on est entre nous.

O. L. : Euh... à mon avis, euh...

G. G. : Eh bien ?

H. R. : Euh... il ne nous appartient pas de nommer ces choses... ces gens... le gouvernement lui-même ne sait pas... il use de périphrases... il détourne l'attention... euh...

D. H. : Dire est difficile... mieux vaut suggérer... si on sait le faire sans que cela se voie...

D. F. : Se taire ou mentir est tout aussi difficile...

J. M. : Vrai... au fond, on ne sait rien. Il n'y a pas de certitudes... soupçonner les gens ne se fait pas... les accuser est dangereux... je... euh...

J. S. : Bon, chers collègues, assez de ronds de fumée, on doit décider... D'accord ? Je rappelle les options. Un, on négocie un arrangement avec ces gens que personne ne veut nommer et on paie le tribut d'allégeance... Deux, on organise l'évacuation de la ville et on se replie sur des zones sûres, s'il en reste... Trois, on forme des groupes de résistance pour défendre la ville, nos biens et nos vies... Ok ?... Ok ?... Ne me laissez pas toute la responsabilité, décidons ensemble... Bon, la situation est celle-ci : un, l'argent pour payer la dîme ne manque pas, les grands bourgeois de la ville sont prêts à ouvrir leurs poches, je les ai contactés un à un... certains sont ici parmi nous. Deux, un train est en route pour Erlingen, avec une escorte puissamment armée, le *Ministerpräsident* me l'a promis au téléphone et après la rupture des communications me l'a confirmé par un courrier acheminé par une estafette motorisée... il a joint un programme et des instructions, ainsi que le plan ORSEC voté cet été après l'effondrement de la Confédération latine, le sac du Groupe balkanique du Sud... ainsi que, si je ne me trompe, l'anéantissement de la Ligue balto-scandinave et de l'Union belgo-hollandaise... Bon, le train a du retard mais il arrivera... il a cent vingt kilomètres à traverser, sans autre menace que la neige, qui a bizarrement redoublé, c'est vrai... et avant son heure. Trois, nos huit policiers sont épuisés, mal équipés, mais ils sont motivés... ils comptent sur les volontaires... le moment venu j'ordonnerai la mobilisation générale comme la loi m'y autorise... mais le résultat n'est pas garanti, la population est terrorisée, elle est imprévisible, un général ne s'y fierait pas... La police a des munitions pour tenir deux jours et refuse de les partager... elle s'inquiète pour ses chiens, elle découvre qu'ils sont trop gras, un chaton les ferait tourner en bourrique, elle va les mettre à la diète et reprendre leur entraînement... le leur aussi, ils ont tous la moitié de leur poids en trop... Oui Dan, parlez, on vous écoute !

D. H. : Euh... je sais que vous y pensez tous... si nous évacuons la ville... euh... enfin, quid de nos biens ? Qui les protégera ?... si c'est possible.

G. M. : Je suggère de confier cette mission à l'escorte du train...

D. H. : Fera-t-on confiance à ces gens ?

K. M. : Adjoignons-leur des volontaires... des jeunes...

euh... je viens d'avoir une idée : nous pourrions embaucher les étrangers et les organiser en milice supplétive en échange d'une régularisation de leur situation administrative si elle n'est pas claire et d'une promotion motivante s'ils sont en règle.

G. R. : Et un bon salaire, il faut être honnête.

G. M. : Oui, oui, un très bon salaire... excellent... Dépêchons vite un émissaire, il leur portera cette offre généreuse avant qu'ils disparaissent dans la nature...

G. R. : Ou rejoignent l'ennemi.

J. S. : Dois-je comprendre que vous optez pour l'évacuation de la ville ?

G. M. : Oui, si le train vient.

J. S. : Et s'il ne vient pas ?

G. M. : Moi je vous le redis, le *Ministerpräsident* nous a piégés... il est de la CPUH, tous des traîtres à la solde de la Ligue mondiale ou je ne sais quoi, ces soi-disant humanistes brevetés... avec cette histoire de train qui ne viendra jamais, il nous fixe dans nos murs pour que nous formions barrage à l'avancée des... de ces gens, vers sa belle capitale...

R. E. : Rien ne m'horripile plus que le cynisme et la mauvaise foi des SNRG, le CPUH que je suis vous le dit tout net...

G. M. : Et le SNRG que je suis vous répond tout aussi net : bonjour et au revoir !

J. S. : Messieurs, messieurs... du calme, l'heure est grave, c'est notre survie qui se joue.

H. S. : Alors, on deale avec... ces gens ?

R. E. : Il est où, le gouvernement ?

K. M. : Oui, on deale... d'autres l'ont fait... il n'y a pas de honte à sauver sa peau, on paie pour notre vie et nos biens et on fait le dos rond... on épouse leurs idées, on les servira... on se convertira à temps... le gouvernement viendra nous libérer, un jour... j'imagine qu'il a des plans...

R. E. : Il est où le gouvernement ?... en exil ?

S. S. : Serons-nous vivants quand il arrivera ?... Les dernières nouvelles... euh... enfin vous savez, lorsque ces...

gens prennent une cité, ils la décapitent aussitôt pour sidérer la population... et la tête c'est nous...

D. H. : Fuyons pendant qu'il est temps...

S. S. : Comment, si le train ne vient pas ? Nous sommes coupés du monde, cernés, démunis, il ne reste pas une goutte de carburant, si notre bon président Stein nous a dit toute la vérité, comme à son habitude.

J. S. : Le président Stein ne vous dit que ce qu'il sait, l'information vient des services et c'est vous qui les dirigez, vous ou vos affidés.

D. H. : Euh... écoutez, j'ai une proposition... on prend les policiers comme escorte et la nuit on file discrètement vers la montagne de Birhagen... mon fils pêche dans le coin... il a découvert un tunnel secret datant de la guerre froide qui débouche du côté de Hardwoff... à quelques kilomètres de là, il y a une base militaire... à défaut de soldats, nous trouverons des camions et de l'essence, nous rejoindrons Ulhandorf... il n'est pas possible que ces gens aient investi la ville, elle abrite des installations nucléaires stratégiques de l'OTAN, elle est imprenable.

H. R. : Imprenable ne veut pas dire non abandonnable.

J. S. : Bien, votons... parlez sans crainte, on ne consigne rien dans le PV... et dehors c'est motus et bouche cousue, hein !

H. R. : À mon avis, il faut attendre, nous n'avons pas toutes les informations en main pour décider... mille questions se posent encore. Envoyons vite nos émissaires... un pour embaucher les étrangers comme supplétifs, un pour approcher les jeunes et les inciter au devoir de révolte et de résistance... un au-devant de... ces gens et... j'y pense, un pour proposer au *Gemeinderat* de Mörlingen de ramener sa population chez nous, plus nombreux nous serons mieux on se défendra... en attendant le train...

D. H. : Faisons tout ça à la fois : on invite Mörlingen à venir, on organise la défense de la ville et pendant que les deux populations s'affairent à empiler des pavés et à creuser des tranchées, on part discrètement.

N. L. : Je... euh... nous chargerons des séides de faire courir des bruits après notre départ laissant croire que nous avons été kidnappés par ces gens... euh... il faut penser à l'Histoire... qu'elle garde de nous une belle image.

J. S. : Tout est dit... à la grâce de Dieu. Encore une fois, motus, même vis-à-vis de vos familles, jusqu'au jour J, et même à l'heure H... l'ennemi a des oreilles en ville et dans la *Rathaus*... n'oubliez pas que Judas vivait parmi les siens. ...

Tu vois quelle bande de bandits et de pauvres types abrite notre beau *Gemeinderat* royalement élu par le peuple. Je voudrais les dénoncer mais à qui, partout se joue le même scénario. S'il y a une épidémie dans ce monde, c'est bien l'épidémie de veulerie.

Mille bisous d'amour, ma chérie. Je vais me préparer pour recevoir mes amies Olga, Aya, Barbara, Elizabeth et Katia, pour notre petit bridge de la semaine, ça nous détend, ces vieilles dames n'ont pas beaucoup de résistance, c'est ma façon de les aider à survivre. Tu les connais, de vraies reines de la Grande Époque, tout leur était dû, et pas question de les ennuyer par des si et des peut-être, une petite contrariété et les voilà dans tous leurs états, trois mois de traitement complet sont nécessaires pour les ramener à la vie, les eaux, les derniers fortifiants à la mode, les plus puissants sédatifs, des villégiatures en série, les meilleurs cancans et beaucoup, beaucoup de cadeaux.

C'est heureux, elles ne savent rien de ce qui se passe d'infiniment dramatique dans le monde et qui arrive par les bois dans leur merveilleux repaire d'Erlingen, le havre séculaire des têtes couronnées de ce pays. Ce qui les rend nerveuses c'est de se savoir clouées au sol, elles ont leurs saisons, leurs rites immuables, leurs rendez-vous planétaires, Megève, Le Touquet, Courchevel, Saint-Moritz, la Riviera, Gstaad, Kitzbühel, les Seychelles, Marrakech... elles ne comprennent pas que les communications ne puissent pas être rétablies et les approvisionnements assurés. C'est là peu de chose. Elles se doutent qu'il y a anguille sous roche, habituées qu'elles sont à voir leur entourage se lancer des regards fuyants et murmurer entre leurs dents lorsque, les ennuis venant, les gouvernantes de leurs maisons organisent l'omerta autour d'elles.

Mais là il ne s'agit pas de bobos, ce qui se joue est la dernière épreuve de l'humanité. Après, rideau. Devant un tel défi, on s'oblige au silence. La seule digne et grandiose réponse à la fin du monde est de se taire, de relever le menton et de vivre l'air de rien. Ces femmes ont leur noblesse, elles siègent dans les hauteurs, rien ne les atteint vraiment... pas même la mort.

Dans une prochaine lettre, je te ferai un topo sur la ville, il s'y passe des choses étranges... et ça s'aggrave. La dernière fois que ma hanche m'a permis de me lever et de me déplacer, accrochée au petit bras fluet d'Helmut, je m'y suis rendue et j'ai constaté la réalité de ce qu'il me rapportait. Ce brave homme qui n'est pas fort du nez et de la vue, encore moins de la comprenette, me brossait le même tableau au retour des courses et des missions d'observation que je lui confiais en ville, il me disait qu'elle puait la charogne, que les mouches pullulaient, que l'air était noir et gras, que les gens étaient... lui semblaient... il ne savait comment l'exprimer... bref, il affirmait qu'ils se transformaient d'un jour sur l'autre mais il ne voyait ni comment, ni en quoi, ni pourquoi. C'est ridicule n'est-ce pas, on sait ou on ne sait pas, je le rabrouais et du doigt, hop, je le renvoyais à ses robinets et ses feuilles mortes... mais là j'ai vu, c'était non seulement vrai mais pire... je n'avais pas la berlue, crois-moi, c'était net, les gens ressemblaient déjà à... euh... à... comment... je ne sais quoi à vrai dire... quel malaise de les voir ainsi... si... si étranges... eux-mêmes nous dévisageaient comme si nous étions des phénomènes visqueux... ou des monstres à mille pattes. Il y avait vraiment dans l'air quelque chose de mouvant et de sombre qui s'incarnait dans la société humaine et la transformait de l'intérieur. Je parlerais de ver dans le fruit ou de ténia dans le foie, mais c'est banal et ça ne dit pas où se situe le mystère. Si je m'y connaissais, je ferais le parallèle avec la radioactivité qui irradie la nature, brise ses barrières vitales, brouille ses codes secrets et engendre des espèces mutantes, par définition antinomiques de la vie. Je suis rentrée précipitamment et j'ai ordonné à mes gardes-malades de tout désinfecter et de calfeutrer portes et fenêtres. Depuis je ne sors plus du blockhaus, je renforce la défense et crois-moi je ne regarde pas à la dépense, j'ai raflé tout le stock de Javel et de détergent de la ville. Si, après la tornade, il reste une personne libre et saine dans ce pays, ce sera moi... avec Magda et Helmut s'ils continuent à m'obéir aussi fidèlement.

Je te connais, tu vas penser que j'exagère comme à mon habitude, que les gens ne font que somatiser sous l'effet du stress. Tu m'accuserais presque de prendre des boutons de fièvre pour des verrues de sorcière et de voir dans la pâleur des visages l'indice d'une putréfaction sous-cutanée avancée. Mais je te le dis, un mystère archaïque surgi du néant se répand sur terre et s'emploie à réduire l'espèce humaine en esclavage pour servir autre chose que l'immarcescible vie. Cela est avéré. Dans les territoires gagnés par l'envahisseur, la vie n'a trouvé refuge que dans les cimetières et les ravins profonds. Elle est plus que mystérieuse cette métamorphose, il semble que la peur, distillée à bonne dose, soit le catalyseur d'une réaction d'un composé complexe de phénomènes qui agissent sur la conscience de l'individu et des masses, sur leur sensibilité émotionnelle et sur leur capacité à rêver pour se projeter dans l'avenir et se construire. Une fois amorcée, la métamorphose ne s'arrête plus, l'homme doit mourir pour que naisse le mutant. C'est ma lecture des choses, cette histoire d'envahisseur sans nom qui s'empare de nos pays sans but évident ne dit pas tout, il reste à découvrir les causes premières et les fins dernières de cette recréation. Nous sommes devant le plus grand mystère eschatologique de l'histoire humaine, l'homme atteint d'un mal incurable veut cesser d'être un homme attaché à la vie pour devenir un fantôme accroché à la mort. C'est bête, le processus vital a un sens, bon sang, celui du progrès, c'est la larve qui devient papillon, pas l'inverse quand même... c'est quoi cette croyance qui regarde l'abîme plutôt que le ciel ?

Je t'enverrai des photos, tu verras par toi-même. Je suis sûre que chez toi c'est pareil, les braves Anglais doivent ressembler à des endives avariées ou autre chose de mou et de sanguinolent, mais je suis sûre que tu ne le vois pas parce que tu es trop bonne, tu as toujours préféré prendre sur toi, te désavouer, plutôt que de charger les autres, tu les vois avec tes lunettes de fille bien élevée et non comme ils sont et comme eux-mêmes veulent être vus. Imagines-tu les quiproquos et les drames qui peuvent se créer avec cette belle façon d'être bête et de prêter à ces gens des sentiments et des intentions qu'ils exècrent ? Si les envahisseurs ont pris la ville, il faut que tu ouvres les yeux, regarde-les comme ils sont, des envahisseurs qui viennent t'égorger, et non comme des amis chaleureux qui veulent t'initier à la nouvelle Fraternité. Penses-y avant de tendre la joue.

Il y aura aussi dans la cachette des fiches de lecture, des notes, des descriptions, des enquêtes. Tu me diras ce qu'on peut en tirer pour *notre roman*, les intégrer au texte, les renvoyer en annexe ou les mettre à la poubelle, c'est toi la spécialiste de la littérature.

Encore plein de bisous, ma petite chérie. Je me sens en veine, je vais saigner mes petites vieilles, mais elles ne sentiront rien, leurs fortunes sont trop grandes, rien ne peut les entamer et la nôtre l'est assez pour ne pas se ressentir d'un accroissement subit, aussi grand soit-il. C'est trop bête, tout nous appartient dans ce monde, comment veux-tu que nous désirions quoi que ce soit ? À notre niveau de richesse, on n'a plus de désir, on ne peut ni gagner ni perdre, c'est hélas impossible, ce qui enlève à nos jeux d'argent leur drame sous-jacent et donc l'essentiel : l'excitation, le plaisir, la peur et l'idée du suicide en dernière hypothèse. En vérité, ce qui nous passionne c'est de rire de nos blagues et de nous moquer des rombières et des petits matamores de notre pauvre monde d'imbéciles heureux.

Le début de la fin

Il y avait du désespoir dans l'air. L'été n'avait pas manqué de mauvaises nouvelles. Les médias de la région les diffusaient avec de la précipitation dans le débit. Toujours plus court, plus simple, plus speed, c'est le principe des news minutes. Trois syllabes dans un mot et ce peut être la cabriole, la langue fourche, on perd du temps à se reprendre, à s'excuser, la concurrence en profite. L'échelon national et l'échelon international ne laissaient aucun répit, avec leurs ambitions totalitaires c'est le rouleau compresseur, le gavage par l'entonnoir, on avale de force, indigestion ou pas. L'absence d'événements elle-même, cinq minutes d'affilée, est un événement qui provoque sa tornade d'interrogations et de commentaires en spirale. Mais que se passe-t-il donc pour qu'il ne se passe rien ? Les conspirationnistes et les cracks de la réinfosphère, convoqués à la hâte, font exploser l'audimat sous les hourras des badauds, même s'ils ne disent rien, sinon qu'il y a anguille sous roche. On se croirait revenu au temps de « La guerre des mondes », en 1938, en Amérique, souvenons-nous, menée par CBS contre une invasion de martiens, alors que déjà la guerre mondiale commençait en Europe, menée par les forces de l'Axe. Dans quelle direction courir ? L'envahisseur d'aujourd'hui a cent noms (des alias qui tous tournent autour du pot) dans toutes les langues du monde, mais nul ne le connaît, ne le désigne, ne le situe. Existe-t-il seulement ? Des milliers de radios, de télés et la Toile tout entière relaient en continu ses turpitudes et ses abominations commises aux quatre coins de la planète, à des vitesses folles, jour et nuit, sans rien nous apprendre sur son identité et ses objectifs, quand jadis trois, quatre radios à galène débitant de loin en loin de sobres communiqués finement filtrés par la censure militaire annonçaient des victoires qui ne prêtaient à aucune équivoque, l'ennemi était l'ennemi et le vainqueur le vainqueur. Qu'on sache tout ou rien, peu ou beaucoup, mourir dans le calme est quand même meilleur que mourir dans le fracas. Mais qui a le choix de sa fin ?... sûrement pas le vaincu.

Les rares voyageurs qui passaient par la ville étaient harcelés dans les stations essence où ils faisaient le plein, dans les restaurants où ils reprenaient des forces pour la route, dans les cafés où ils avalaient de quoi se tenir éveillés. Les questions ? Toujours les mêmes : « *L'envahisseur, dites, vous l'avez vu, qui est-il, comment est-il, d'où vient-il, que veut-il, nous laissera-t-il la vie sauve ?* »
Voyager dans un contexte de guerre portée par la rumeur est une épreuve. Puis cette source d'informations s'est tarie, plus de carburant, plus d'automobiles, plus de voyageurs, rien à l'horizon, mes frères, les routes se couvrirent de poussière, les commerces battaient tristement de l'aile, le danger avait vidé les unes et ruiné les autres.

Et de fait le drame se rapprochait, il se confirmait qu'Erlingen était sur le chemin de l'envahisseur vers la capitale du Land. On avait espéré qu'il passerait plus au nord, par Denake, ou plus au sud, par Warstok, des villes importantes, dynamiques, prospères. La petite Erlingen est certes de loin la plus riche du pays mais son argent s'est depuis longtemps dématérialisé, personne ne sait où il se promène, de quelle façon il se bonifie et comment il se dépense, il a tout simplement échappé à l'attraction de la terre et au radar des satellites. Ici réellement l'argent n'existe pas, chez les grands il n'est qu'écritures comptables virtuelles dans les bilans de leurs banques et chez les petits il n'est que papier et piécettes sans valeur. Si l'envahisseur avait des idées de pillages en tête, Erlingen n'était clairement pas la bonne adresse.

Le silence s'était abattu sur elle brutalement, les gens fuyaient les lieux publics et les clubs privés où la veille ils s'amassaient pour échanger nouvelles et frayeurs. Au terme du questionnement, à l'heure du choix, on entre en solitude, on se parle sans témoins, ce qu'on se dit on ne le dirait à personne. Au moindre mouvement, on se ment à soi-mêmes.

*

La météo est venue y mettre son grain de sel, la neige arrivait à grosses bourrasques. En un rien de temps, elle a momifié la ville, et la campagne environnante a disparu de la carte. Il y avait là un signe, à ce moment de l'automne Erlingen est habituellement en tee-shirt, profitant des dernières tiédeurs de l'année et de ce qui reste de bronzage de l'été.

Les pompiers et autres sauveteurs des ponts et chaussées avaient perdu la guerre avant de la commencer, leurs engins n'étaient pas prêts, ils se refaisaient une santé à l'atelier, la neige était attendue au plus tôt à la fin de novembre. Comme toujours les communications sont les premiers services à flancher devant les intempéries. On se voyait revenir aux techniques du Bronze moyen, le messager à pied, la flèche encodée, le cornet, le tam-tam, la galène, le morse, le sémaphore babylonien. Au troisième jour, les cotes d'alerte étaient franchies partout et le blizzard redoublait de férocité d'heure en heure. Entre deux grosses rafales, le calme se faisait mortellement oppressant. Dans la ouate épaisse pouvaient s'entendre de lointains échos, portés par le vent d'est, une sorte de chant lugubre aux accents de deuil.

Erlingen était seule au monde, elle n'avait que ses habitants pour la sauver.

Enfermés chez eux, ceux-ci ruminaient. Les nouvelles disaient toutes la même chose, l'envahisseur approchait, il fondrait sur la ville avant peu, un mois pour les pessimistes, trois à six pour les autres. On comptait sur Mörlingen, la bonne voisine, à trente kilomètres à l'est, où existe une tradition de résistance. C'est vrai qu'on s'est pas mal battu dans ce bassin minier et industriel, mais c'était au siècle dernier. Que reste-t-il ? Quelques illusions et beaucoup, beaucoup de désillusions. Dans le quartier nord de la ville, gardant les carrefours où se croisent les pires vents de la sous-région, glacés, torrides, fétides, mouillés, on peut voir, coulées dans une héroïque tristesse, deux trois statues de gueules noires célèbres, des malabars trapus à casquettes de vieux loups de mer, vareuses à gros boutons de fantassins et brodequins de rudes montagnards, qui avaient conduit de longs sièges de mines et d'usines et pratiqué abondamment la castagne et la séquestration. Époque homérique, les fumées de la guerre anticapitaliste emplissaient le ciel et les cœurs. Pas de cadeaux en face, la comptabilité donnait le *la* aux troupes, un chiffre est un chiffre, il ne ment pas, on restructurait à tout-va, on licenciait à pleines charretées, on traquait les survivants, on achevait les blessés, on achetait les syndicalistes qui s'obstinaient à vouloir mourir debout, on importait des jeunes Turcs, des casseurs yougoslaves et des porteurs marocains.

Le capitalisme de papa avait encore une fois gagné au canon.

Puis la mondialisation est venue prendre le relais et les derniers feux de la révolte se sont éteints dans un silence consentant. La corruption cessait d'être de la corruption, elle était le prix de l'arrangement win-win sur le dos des peuples.

Il restait à brader les derniers trésors, ce qui fut fait dans la meilleure discrétion. La ville s'est vendue aux Japonais qui ont un peu bricolé dans l'électronique avant de repartir à reculons avec un bon sourire de bonze, puis aux nouveaux maharadjahs, des Indiens élégants sortis d'Oxford avec la bosse des affaires et l'appétit d'un éléphant, qui ont rallumé un haut-fourneau pour l'éteindre le lendemain moyennant une substantielle compensation de la ville, puis elle s'est offerte à… des étrangers encore, on ne sait lesquels vu qu'ils ne sont jamais arrivés, la promesse de mariage ayant achoppé sur on ne sait quel article écrit à l'encre sympathique, mais ils ont quand même été largement défrayés pour leur bonne intention ; des Américains pas de doute, la note était salée, pour eux gagner énormément d'argent sans bouger de leur ranch du Texas est un droit divin protégé par l'US Army en tout point de la planète. Ce qui restait, quelques murs, un peu de fonte, la mafia albanaise l'a emporté mais l'enquête n'a pas su le prouver. Enfin le silence est tombé sur la poussière.

Affaire classée, Mörlingen devait apprendre à vivre avec rien ou mourir.

Une époque de défaites cuisantes.

Oui, Erlingen voulait y croire, Mörlingen résisterait et bloquerait l'avancée de l'envahisseur. Mais à peine se convainquait-on de ce possible miracle que s'imposait une autre vision des choses, terrible, certaine : le sac de la ville et l'extermination de ses habitants. Un envahisseur de cet acabit, l'humanité n'en avait jamais rencontré, elle ne serait pas là, à encore se poser la question de sa survie. Mörlingen anéantie, il déboulerait sur Erlingen, c'est sûr comme deux moins deux font zéro. On s'investit sur les difficultés du terrain, elles sont réelles, et ce providentiel blizzard les avait bellement aggravées, le mont Tartagen qui forme la muraille de Chine entre les deux villes est un cauchemar vertigineux qui occupe à plein temps leurs engins de déneigement. En leur absence, franchir ses cols est impossible. Un répit jusqu'au printemps est possible, les secours arriveront à temps... le monde va réagir et entreprendre la Reconquista ou alors cela voudra dire que la vie a disparu partout sur terre et que l'homme n'a rien pu faire.

Quelqu'un crut bon de mettre le feu à l'atelier où les machines de déblaiement et de déneigement se retapaient à grand bruit, et tous applaudirent l'esprit d'initiative du mystérieux saboteur. Un nom circula mais la vox populi le tut, prenant sur elle de protéger le héros de Tartagen des foudres de la justice. Le pompier de deuxième classe Jürgen Krüger pouvait dormir tranquille, la justice s'était lancée de son propre chef sur une fausse piste et n'entendait aucunement réviser sa démarche. Le dossier était promis à un enterrement clandestin de première classe. Il faudrait maintenant songer à lui donner une médaille, disaient ceux qui voyaient la neige s'amonceler sur les hauteurs et, d'un jour sur l'autre, emportée par son poids, s'abattre en avalanches monstrueuses sur les vallées, fermant gorges, canyons, tunnels et tout autre possible pertuis. Imaginer l'envahisseur pris dans ce bouleversement géologico-climatique était un contentement dont personne ne se privait lorsque le grondement explosait dans la montagne et faisait vibrer la terre et le ciel sur des dizaines de kilomètres à la ronde. La nature vengeait l'homme par procuration. Le nom du brave saboteur fut naturellement associé à ce tonnerre magique. Ainsi est née la légende du volcan Krüger.

Il se dit bien des choses dans un siège, une sorte de délire s'installe qui se veut encore piqué de cohérence. On sait la fin inéluctable mais on continue de réfléchir, de recenser les possibilités de se tirer d'affaire, on s'énerve parce que évidemment tout a été dit et le répéter ne sert à rien. L'espoir n'est cependant pas perdu, se dit-on en rompant, le *Gemeinderat* est en réunion ouverte, il aura une idée, c'est son boulot, il est tenu d'assurer.

Magda et Helmut avaient noté que les jeunes de leur morne banlieue, d'habitude mutiques et hémiplégiques graves, s'agitaient, ils couraient de-ci de-là, d'un endroit l'autre, la cage d'escalier, la salle de sport désaffectée, ici pour parler, là pour réfléchir comme des constipés. Ils changeaient à vue d'œil, il semblait leur pousser des moignons d'ailes, que leurs yeux viraient au rouge, qu'une rigidité martiale gagnait leurs membres. Helmut finit par comprendre qu'ils étaient eux aussi en réunion ouverte et que des émissaires empressés venaient nuitamment les mettre sous pression. Quand ceux-ci traversaient le halo blafard des derniers lampadaires en service, on devinait que dans leurs musettes de fonctionnaires et leurs sacs à dos de chasseurs alpins il n'y avait pas que des promesses, il y avait également de belles menaces.

Sans moyens de locomotion, sans armes et bientôt sans vivres, dans une ville coupée du monde, n'ayant aucune expérience du siège et de la guerre, la résistance est un projet vain. Mourir de faim ou mourir de soif est le seul choix quand il n'y a plus de choix véritable.

*

C'est là, au fond du trou, que la merveilleuse nouvelle est arrivée : la capitale du Land envoyait un train et une solide escorte pour évacuer les habitants d'Erlingen, et ceux de Mörlingen qui arriveraient par leurs propres moyens à rejoindre la gare d'Erlingen. On fit la fête, on but du schnaps, de la bière et tout ce qui tombait sous la main. L'espoir battait son plein.

La nouvelle était portée par un motard éreinté, effrayé de se voir si loin enfoncé dans la zone infestée. On le porta en triomphe à la *Rathaus* où le *Gemeinderat* l'attendait en haie d'honneur. Le pauvre devait pousser jusqu'à Mörlingen où l'ombre de l'envahisseur avait pu être signalée jusque dans ses faubourgs orientaux. On lui expliqua le topo et le voilà en toute bonne conscience libéré de sa mission : le volcan Krüger avait ratatiné routes et chemins, jusqu'au plus étroit, un colibri n'aurait pas trouvé un passage pour rejoindre son nid.

Sur les conseils pressants de D. H. (Dieter Hesse pour bien le nommer), le *Bürgermeister* Jürgen Stein confia au motard un rapport pour le *Ministerpräsident* dans lequel il faisait état de la situation d'Erlingen, au plan encore maîtrisé de la sécurité, celui catastrophique des communications et celui difficile à inquiétant des stocks de produits de première nécessité. Il termina en expliquant que le vaillant messager était bien arrivé, amputé hélas de son compagnon, qu'il avait délivré son courrier mais qu'il ne pouvait en aucun cas atteindre Mörlingen, plusieurs avalanches ayant enseveli toutes les vallées de part et d'autre du mont Tartagen. Il s'engageait à diligenter les meilleurs alpinistes de la ville pour la rejoindre et passer le message. Il ajouta qu'Erlingen entreprendrait tout pour aider au transfert de la population de Mörlingen chez elle, il en faisait une question d'honneur.

D. H. le félicita à l'oreille : « *Bravo président Stein, nous pouvons respirer... la population de Mörlingen est trois fois plus nombreuse que nous, si elle débarque dans nos murs, elle nous disputera tout, nos stocks qui ne sont pas infinis et surtout notre place dans le train, nous ne ferons pas le poids... ces gens sont des ploucs, nourris au communisme radical... il faut garder le secret sur notre démarche, le plan B ne peut pas fonctionner s'il est éventé... Mörlingen se débrouillera bien sans notre train... agissons pour lui suggérer de regarder du côté de Warstok ou de Denake... c'est plus loin, les routes sont coupées mais dans la guerre il faut aussi savoir compter sur la chance et le pouvoir de l'acharnement... Envoyons-lui un message par pigeon voyageur...* »

« *Avons-nous ça ?* »

« *Justement non.* »

Motus et bouche cousue.

Au départ de Kohlindorf, la capitale du Land, le motard expliqua qu'ils étaient deux, mais que son compagnon avait fait une embardée dans le lacis des corniches verglacées du Santanz et avait piqué du nez dans le ravin. Impossible de le secourir sans l'appui d'une garnison de pompiers.

Les habitants d'un hameau voisin, un curieux objet qui semblait émerger d'une lointaine brume médiévale et qui portait un nom étrange, en forme de code de coffre-fort de l'époque nazie, *Kleines Dorf 2084 Bis*, refusèrent d'ouvrir leurs portes, il ne leur demandait que des cordes et des bras pour l'aider à descendre dans le gouffre secourir son compagnon. En réponse, il crut entendre un vague grognement, quelque chose comme « *Vâa... Vâa...* ».

Il ne reprit la route que lorsque son infortuné ami cessa d'appeler au secours et de geindre, c'était le moins à faire. Avec deux branches il confectionna une croix et la planta à l'endroit où la moto avait enfoncé la glissière de sécurité et plongé dans le vide, ce qui eut pour incroyable effet de déclencher un horrible râle au cœur du hameau maudit qui se prolongea et s'amplifia dans une hystérie inhumaine qui lui glaça le sang ; longtemps elle se répercuta en échos sourds dans le somptueux et inquiétant massif du Santanz. Il lui vint soudain à l'esprit que le village pouvait avoir été visité par l'envahisseur, marqué de son urine, de son suint. Le hameau avait été envoûté, métamorphosé. Il y avait de la magie noire dans l'air, ce cri venait de l'enfer. Sûr qu'on était en zone occupée, une *besetztes Gebiet* non délimitée. Il mit pleins gaz, ce qui lui fit faire une embardée qui de peu faillit l'envoyer par-dessus bord. Ce n'est pas dans ce lieu que l'âme de son pauvre compagnon reposerait en paix.

Les édiles n'eurent pas le temps de se réjouir et de tout expliquer à la population, qui n'en pouvait mais, qu'un jeune garçon terrorisé se présenta au poste de guet de l'entrée nord de la ville avec un message pour le *Gemeinderat*. Il lui avait été remis par... écoutons-le.

« *... un être bizarre qui sortait de la sylve.* »

« *De la sylve ?... tu veux dire la forêt, mon enfant ?...* »

« *Oui, une sylve épaisse et sombre.* »

« *Et comment était-il ?* »

Il n'a pas su dire quelle forme il pouvait avoir... Humaine ?... Humanoïde ?

« *Euh... il était couvert d'une longue tunique de laine grossière qui puait le suint... il portait une sorte d'édredon épineux sur ce qui semblait être sa tête, et une gibbosité dans le dos... ou alors c'était un sac à dos d'écolier qui avait la forme d'une tortue ninja ou d'une tête de chameau...* »

« *Oui, oui, continue, ça devient intéressant.* »

« *... il sentait la tanière après les mois d'hibernation... sa voix était horrible, un feulement qui lui sortait du ventre.* »

« *Édredon épineux, gibbosité, ninja, tête de chameau, tanière, hibernation, feulement, voyez-vous ça. Autre chose, fiston ?* »

« *Oui, il avait des yeux de Gorgone, ils brillaient derrière ses longs poils...* »

« *Quoi, des yeux de Gorgone, entendez-vous ça, et un rideau de poils !...* »

L'enfant expliqua que oui, il savait ce qu'étaient les Gorgones, sa grand-mère en était une.

« *Hein ?* »

« *Oui, quand elle se fâche et regarde quelqu'un dans les yeux, c'est sûr qu'il va avoir mal au ventre.* »

« *Bon, ça on peut le comprendre, mais une Gorgone quand même... Et comment sais-tu que c'en est une ?* »

« *J'ai cherché son prénom dans le dico et j'ai vu qu'elle en était une.* »

« *Et comment s'appelle-t-elle, ta charmante Großmütter... Méduse ?* »

« *Non, Euryale.* »

« *Bon à savoir, que t'a dit ce bigfoot à bosse ? Je suppose, sans vouloir te fâcher, que tu sais ce qu'est le bigfoot...* »

« *Oui, le sasquatch, le cousin américain du yéti tibétain, mais cette chose n'en est pas un, elle ressemble à...* »

« *Qu'importe, que t'a-t-il dit, ce phénomène ?...* »

« *Il m'a donné le libelle et poussé dans le dos en me disant : "Gemein... derâat... vâa... vâa... par lâa !"* »

On saura que la missive, écrite sur un bout de peau de mouton, dans une langue archaïque qui ne put être déchiffrée que très approximativement, comptait une demi-ligne : « *La SOUMISSION ou la mort* ». Les experts ont privilégié ce résultat mais il en est d'autres : « *La VÉRITÉ et la mort* », « *La VICTOIRE vers rien* », ou encore mais peu significatif « *La FIN seulement la fin* ». Outre le fait que les mots de cette langue peuvent avoir une grande variété de sens, comme si chacun était un outil universel à lui seul, le vocable OU, qui se prononce OUA, très abondant dans cette langue, est un casse-tête intégral, il prend toutes les significations que l'on veut, ce qui rend toute phrase qui le contient intraduisible si on ignore l'intention cachée du locuteur... Ce n'est pas tout, OUA est aussi un signe mathématique des plus ambigus, il exprime selon le cas l'égalité-inégalité ou la convergence-divergence. Cette langue peut tuer un homme avec ses contorsions. Avec ça, la missive n'était pas signée, ni datée ni timbrée, et ne comportait aucun en-tête. Logique après tout, la mort et la soumission n'ont pas besoin de précisions, elles sont en toutes circonstances le mystère et le chaos, la fin et le néant.

Helmut n'a pas tardé à tout savoir sur cette affaire. Le *Bürgermeister* convoqua sur-le-champ une réunion extraordinaire du *Gemeinderat*.

Au moment où j'écrivais cette note, le verbatim de la réunion n'était pas sorti, j'ai repris ce que le cousin d'Helmut a pu enregistrer de sa cachette (une armure de chevalier teutonique géant plantée à l'intérieur même de la salle magnifiquement lambrissée dédiée aux réunions de crise, la war room (ne pas confondre avec *warum*, qui ne signifie rien de plus que pourquoi). Pauvre Helmut, je lui impose un train d'enfer, majordome, coursier, espion, boîte aux lettres secrète, plombier, surveillant, jardinier... il va me faire une embolie.

...

J. S. : Bon... vous êtes au courant, nous avons reçu... euh... comment appeler ça... une lettre... un libelle... un ultimatum... une offre de paix... une menace ?

H. S. : Une tactique... jouer avec les nerfs de l'assiégé pour le briser, brouiller son esprit, c'est classique... je signale que dans certains quartiers exposés à la rumeur des concitoyens commencent à tenir des propos... lalala... ils n'en peuvent plus... « *Donnons-leur ce qu'ils demandent, ils nous ficheront la paix !* » disent-ils.

M. N. : C'est qui « *ils* »... et leur donner quoi ?

M. R. : Ça me rappelle un film... *La tempête du siècle*... le Diable, qui arrive du néant dans un village coupé du monde par une tempête de neige grandiose, sème sournoisement la haine et la pagaille parmi les habitants, divisant les familles et les amis, et toujours au bon moment, quand le paroxysme est atteint, les relance avec cette mystérieuse exigence griffonnée sur un mur, une vitre, une porte : « *Give me what I want and I will go away* », et de la sorte les mène vers une fin terrible... brrr... oui terrible... notre situation, quoi.

D. D. : Vous insinuez que ces... ces gens travaillent pour... le Diable ?

M. R. : Qui connaît ses véritables employeurs, cher ami ?... Le Diable a tous les visages, y compris le sien propre et celui de Dieu...

H. R. : Une cinquième colonne diabolique serait en train de se former chez nous... vous le pensez ou vous plaisantez ?

M. N. : Quelqu'un, un écrivain je crois, a parlé de métamorphose spontanée... eh bien, c'est ce qui arrive, les gens ne sont plus les mêmes, leurs défenses internes cèdent les unes après les autres, les repères bougent... le physique suit... ils sont prêts à ressembler à leur ennemi... à l'aimer...

H. S. : Le syndrome de Stockholm, l'otage terrorisé qui prend fait et cause pour son bourreau...

M. N. : Plus que ça, plus que ça... il devient bourreau à l'image du bourreau...

A. Z. : L'écrivain c'est Kafka, un Tchèque d'expression allemande... *Die Verwandlung, La métamorphose*, est le titre de sa nouvelle... il voulait montrer que le monde n'est simple que pour les idiots... il a une structure quantique impossible à comprendre, au-delà même de l'absurde... une chose peut être ceci et cela au même endroit et au même moment... c'est le regard de l'observateur qui fait qu'une occurrence s'affirme au détriment de l'autre et inversement... il nous raconte la métamorphose du jeune Gregor... Un matin, sa sœur entre dans sa chambre pour le réveiller et que voit-elle... son frère s'est transformé en cafard géant...

J. S. : Tiens, vous êtes là, Albert Zénon, comment se fait-il qu'on ne vous entende jamais... je veux dire qu'on ne comprenne jamais rien à vos explications ? Bon, trêve de philosophie quantique ! Ces gens s'enhardissent jusque sous nos murs, prenons des mesures...

H. S. : Lesquelles ?

K. M. : On en a parlé, embauchons des volontaires et organisons des patrouilles, chacune dirigée par un policier... elles tourneront en ville pour rassurer les citoyens et autour de la ville pour montrer à ces... gens que nous sommes mobilisés et vigilants.

J. S. : Bonne idée... je demande au brigadier de police Josef Moritz d'organiser ça... Autre chose ?

...

J. S. : Autre chose ?... Bon, on lève la sé...

M. N. : Euh... j'aurais une proposition à faire...

J. S. : Allez-y Norbert, mais pas de cinéma et pas de cafard, s'il vous plaît... là je fatigue.

M. N. : Je reviens au changement... il est là, chers amis, visible et palpable, ça devrait nous inquiéter plus que ça, enfin... nos concitoyens n'en peuvent plus... les plus fragiles sont atteints... ils ne voient plus ces... gens comme l'ennemi fatal mais comme l'avant-garde d'un monde nouveau...

K. M. : La fascination du faible pour le fort, du dominé pour le dominant, du paysan pour le guerrier...

M. N. : Oui, ça joue... ils lui prêtent leurs propres rêves et le croient capable de les réaliser... l'exaltation est une force considérable, elle transforme moralement et physiquement... on verra des cafards un peu humanoïdes, des hyènes, des lions, c'est selon le degré d'abaissement ou d'adhésion fiévreuse des uns et des autres... ce n'est pas si surprenant... la vie est capable de toutes les adaptations, jusqu'aux plus absurdes... voyez les insectes, quelle débauche de formes ! Je suis sûr que la véritable arme de l'envahisseur contre nous est nous-mêmes, c'est notre métamorphose qu'il provoque par petits coups, par étouffement, par le poison de la rumeur, par...

K. M. : ... par irénisme de notre part...

D. D. : Cafards, hyènes, lions, insectes... c'est le zoo... on parle de nos concitoyens.

A. Z. : J'aurais plutôt pensé à lady Shalott, condamnée à voir le monde à travers un miroir. Ce que les gens voient n'est pas la réalité, c'est un ressenti après coup... une construction.

K. M. : Après coup de quelque chose quand même !

O. L. : Dr Jekyll et Mr Hyde, un moment c'est faux, le moment d'après coup c'est vrai...

M. N. : C'est une image, vous l'aurez compris... avec le stress et la peur à dose forte sur une longue durée, plus l'enfermement dans un quotidien devenu misérable et honteux, les croyances changent, le physique aussi... ça paraît évident, non... Je crois que nous devrions organiser des meetings pour sensibiliser nos concitoyens... ils doivent veiller sur leurs convictions d'hommes libres comme sur la prunelle de leurs yeux... c'est ça qui assure notre intégrité et nous tient debout... sinon un matin, ils se réveilleront dans la peau de ces gens ou dans la carapace d'une blatte...

J. S. : Bon, bon, on verra, ce n'est pas le moment de donner des cours de psycho aux gens. Il faut les mobiliser pour la survie et pour ça il faut un chef et le chef c'est nous. Commençons déjà par rester nous-mêmes et évitons de nous laisser aller à des métamorphoses regrettables. Allez, va, la séance est levée !... et motus, hein, le peuple ne doit pas savoir, ce serait la panique... et là pour le coup il va se métamorphoser en tornade... il faut démentir... ce gamin messager, il est plutôt drôle... il faut le rattraper et le convaincre gentiment qu'il a rêvé sa rencontre du troisième type... Rendez-vous compte, sa *Großmütter* est une Gorgone, son regard donne la diarrhée... ça c'est une métamorphose... les gens se changent vraiment en n'importe quoi, docteur, c'est l'anarchie !

Buongiorno, Hannah mia, c'est encore ta pauvre maman.

Je rage, ma chérie, je rage, j'en suis malade. Si dans cette lettre je dis trop de bêtises, ne m'en tiens pas rigueur. Tu arrangeras ça dans le roman, ne me fais pas honte, tu sais comme dans notre milieu on aime se moquer et s'acharner sur la bête, c'est le côté minable et sadique de notre vieille bourgeoisie continentale.

Bon voilà : j'ai convoqué Hans Schulz, Dieter Hesse et Georg Müller. Je le devais. Si on ne peut pas dénoncer un malfaiteur et le mener devant le juge, on peut au moins lui dire son fait en face et se comporter avec lui comme le ferait un procureur incorruptible. Il faut qu'il reconnaisse sa vilenie et qu'elle soit pour lui à cet instant une braise qui lui brûle le cœur, il faut le condamner et lui injecter le poison le plus puissant du monde, qui ne tue pas d'un coup, mais tout au long de sa vie : le remords. Si tu as lu mes autres lettres dans l'ordre chronologique, tu sais que ces hommes ont conçu le plan d'offrir la population de la ville en holocauste à l'envahisseur, un monstre sans âme ni compassion, et cela pour sauver leur misérable vie... que dis-je, leurs misérables biens.

Hannah chérie, c'est trop affreux, j'en pleure, notre déchéance n'a pas de fond.

Le Jürgen Stein ne perd rien pour attendre, je lui réserve une séance spéciale, celui-là, je lui rappellerai certaines choses et le reste aussi, et d'abord qu'il me doit son poste de président du *Gemeinderat*, son fauteuil au conseil d'administration de la Banque générale, dont je détiens la majorité et toi quelques petits pourcents qui vont grandir un jour, comme il me doit sa sinécure de président d'honneur du musée du Biscuit que ton père a si amoureusement agencé, son hamac de président de la Fondation Karl Ludwig Von Ebert que j'ai créée pour perpétuer la mémoire de ton pauvre père et que j'ai plus que généreusement dotée, et j'en passe. Nos amies n'ont pas été en reste, elles l'ont choyé, une journée de trente-six heures ne suffirait pas à ce crétin visqueux pour traverser au galop tous les bureaux que nous lui avons offerts. Je lui ferai rendre gorge, crois-moi, et agirai pour que l'Histoire retienne que sous sa direction le *Gemeinderat* a programmé un crime contre l'humanité. Je l'obligerai à boire la ciguë devant moi, il n'y coupera pas.

J'ai choisi ces trois-là parce qu'ils sont influents au *Gemeinderat* et parce qu'ils sont nos amis... beurk, disons nos misérables obligés. En agissant ainsi (s'ils mettent à exécution leur sordide projet), ils jetteront l'opprobre sur nous. Qui se ressemble s'assemble, n'est-ce pas ce que dit le peuple, qui, quoi qu'on en pense, a un art plutôt fin de l'observation.

Je t'apprends ce que tu as deviné peut-être, ma chère enfant, ces petits messieurs n'existeraient pas si nos familles, la nôtre en premier et celle de nos amies, Aya, Barbara, Katia, à ma demande, ne les avaient portés à bout de bras. Nous les avons recrutés, formés à la marche des affaires et du monde, nous leur avons offert des situations, nous avons financé leur élection, pour ne pas dire plus. Et si nous avons fait cela, ce n'était pas pour tirer profit de leur présence au *Gemeinderat*, et à la tête des États, nous sommes au-dessus de ça, nos intérêts sont planétaires, intemporels, ils se jouent dans les Bourses internationales et forment le socle des grandes banques mondiales, c'est pour empêcher que des voyous venus d'on ne sait où, de cette nouvelle Europe sans âme et sans profondeur ou de ces pays où l'arrivisme est la religion et le clinquant une culture, n'entrent au conseil et le caporalisent, et cela pour une raison essentielle à nos yeux : que notre gentille petite Erlingen reste une gentille petite ville, aimable et aimante comme l'étaient les gentilles petites villes de ce grand pays au temps de l'Empire. Nous sommes partout dans le monde, on peut même dire que nous sommes le monde, ou que nous l'avons été et que nous le sommes encore, mais notre cœur et notre âme sont ici, ils ne sont jamais partis ailleurs. Tu le sais, je t'ai saoulée avec ce discours depuis ton premier biberon, et tu le sauras davantage et mieux avec l'âge, car tu reviendras à Erlingen et tu le ressentiras, ici est notre berceau, ici est notre petit coin de paradis sur cette terre, il doit impérativement survivre à tout... même à Dieu et ses diables.

Et voilà qu'aujourd'hui, par la faute de ces vauriens, les Schulz, les Hesse, les Müller et leurs semblables d'ici et d'ailleurs, nous en sommes à la fin de l'Histoire, notre Histoire, et nous allons, pour solde de tout compte, la terminer par notre propre génocide.

Rends-toi bien compte du problème, chérie, il n'est pas ce que les gens croient. J'en tremble d'y penser seulement. L'envahisseur est évidemment un immense problème pour nous, pour le monde, mais il ne l'est pas pour l'Histoire, l'humanité n'existe que par le mouvement des peuples et seuls se meuvent les peuples forts, en qui est actif l'esprit d'aventure et de conquête. Si chacun était resté chez lui à cueillir des baies et à regarder pousser l'herbe, l'humanité aurait disparu, emportée par la consanguinité, l'ennui, l'ignorance, l'obésité, la maladie. Le vrai drame pour un peuple c'est l'ataraxie, lorsque meurt en lui le goût de se battre et c'est ce qui nous arrive, tout nous effraie, tout nous décourage, un bruit et hop nous voilà à genoux, tremblant, battant notre coulpe, bafouillant des excuses. Nous ne savons même pas nous tenir sur la défensive, et s'il advient, mourir avec dignité, sinon panache. C'est cela qui me désespère, Hannah chérie, de nous voir si petits, si affreux, si lâches. Nous ne pouvons rien changer, il est bien tard, l'animal est trop gros, trop gras, trop bête, il attend le coup de grâce du nouveau maître qui va le soulager, mais que diable, il doit bien nous rester un peu de force, un brin de courage, une once de vraie dureté pour au moins punir ceux des nôtres qui sont la cause de notre ruine. Dans un dernier sursaut, nous pourrions nous dire, « nous avons rendu notre dernier combat, nous avons honoré la vie », et nous laisser égorger avec fierté.

J'aimerais tellement que tu sois là, Hannah chérie, près de moi, avec nous. Avec ton compagnon, aussi, j'aime bien les Anglais, ils sont distrayants… le sont-ils encore ? Comment les choses se passent-elles dans ce pays pas comme les autres ? On croit savoir que les Anglais auraient une meilleure tradition de la résistance que nous. Dis-moi si c'est vrai. Oui sans doute, quand tu habites une île en pleine mer, où veux-tu te cacher ? Tu t'arc-boutes contre le mur de ta maison et tu pointes ta lance vers l'avant ; si tu veux vivre, tu pousses du talon et tu te fraies un chemin. Sur le continent, il y a de l'espace, tu recules d'abord pour mieux voir, ce qui est le début de la fuite, et après, jamais trop loin, il y a cette chose si belle, si attirante, qui incline à la pusillanimité, la montagne, qui offre à l'autochtone tout ce qu'il faut pour se cacher, élever des remparts et observer l'envahisseur qui sillonne la plaine, cherchant quelqu'un de courageux pour venir l'affronter.

Erlingen me semble si seule dans le monde. On ne sait rien sur ce qui se passe à un kilomètre de son domicile, de sa ville. Le monde nous est devenu étranger, inconnu, c'est affreusement déstabilisant. L'Europe existe-t-elle encore ? Je ne le crois pas et à vrai dire ce n'est pas important, elle doit être cachée quelque part, je le vois chez nous, on ne met plus le nez dehors. L'Amérique qu'on n'entend pas, c'est nouveau, cela veut-il dire qu'elle est terrassée elle aussi ? Et si la Chine et la Russie n'en profitent pas, est-ce la preuve qu'elles ont également été défaites ? Je n'ose penser à la brave et pauvre Afrique, elle doit tout entière être dans la baille, accrochée à n'importe quoi, dérivant d'un pays vaincu à l'autre. Et ce Moyen-Orient si maladivement coincé dans ses dignités, Dieu dans quel bain de sang s'est-il noyé ?

Cet envahisseur qui est partout mais de nulle part, c'est le grand mystère de l'affaire. Mené de la sorte, envahir serait presque à la portée de quiconque, il suffit de se lever un matin, de se proclamer maître des lieux et des gens et d'agir en conséquence. L'incubation familiale aidant, d'autres feront pareil, par mimétisme, par appétit, par emportement, et c'est parti pour le tour de la planète. La conquête irait ainsi comme vont les épidémies.

Ah bravo, l'envahisseur a réussi ce que nul conquérant avant lui n'avait accompli, il a soumis la planète sans armes ni bagages, avec rien, des gens approximatifs, des méthodes archaïques, des moyens ramassés en chemin, des bouts de ficelle, en se contentant d'être lui-même, allant sa route comme bon lui semble. Dans cette configuration crypto-invasive, l'absence de violence visible devient la plus horrible des violences. Nous souffrons de cela, de cette absence de guerre frontale et destructrice qui nous aurait galvanisés et libérés de nos atermoiements.

Bisous, chérie. Je vais prendre deux verres de bon riesling du pays de Bade et dormir, c'est trop épuisant de penser au monde. Comment le secouer, avec quelle énergie ? Et pour quelle récompense ? Je ne dois pas oublier que je suis une vieille femme qui n'arrive pas à conduire sa propre maison, les domestiques et les clandestins l'ont squattée... je ne voyais que Magda et Helmut, et quelques ombres dans les couloirs... j'ignorais que nous en avions tant... de vrais envahisseurs, ils en ont l'allure et le toupet.. ils se sont transformés en une nuit, j'en ai presque peur... Kafka n'a pas poussé son analyse jusqu'au bout, la métamorphose peut aussi bien être un phénomène collectif, à l'échelle d'une ville, d'un pays, d'un continent, mais bon, si je me souviens bien, je leur avais demandé de s'installer ici, où ils voulaient, et de profiter de leurs vacances, les dernières peut-être. Terminons la vie sur un bon geste. Hospitalité, générosité, panache, et vogue la galère !

ROMAN

note n° 2

La vie secrète des Ebert

Oublions l'envahisseur et parlons de nous. Envahisseurs, nous le fûmes aussi. C'était au siècle dernier et au siècle d'avant... et encore aujourd'hui. Je parle de nous, les Ebert and Co.

L'ancêtre, Ernst Hans-Günter Ebert, comme tous les ancêtres qui ont donné vie à de puissantes dynasties mondiales, a laissé de lui une image grandiose. Une image très américaine. À part l'immortalité et l'ubiquité, il aurait eu toutes les qualités reconnues aux dieux par leurs clergés. Trop gratifiante, elle n'est finalement gratifiante ni pour sa mémoire, ni pour ses héritiers. Il n'y a pas que l'argent et le succès dans la vie, il est permis de rêver de bonheur et rien n'interdit de le chercher dans la simplicité et la modestie de l'anonymat. Trop tard, l'histoire s'est écrite de cette façon. Chez les Ebert, tous clans confondus, la religion et la vie c'est l'argent et la gloire avec les honneurs subséquents, auxquels se sont ajoutés les plaisirs fins du mécénat et du patronage, qui au départ avaient un but simplement mécanique, fiscal pour le dire autrement, maintenir le plan d'eau au bon niveau pour éviter le trop-plein et le débordement qui ne sont que dégât et gaspillage, mais qui, emportés par leur masse gravitationnelle et leur force d'influence, sont devenus des instruments politiques puissants, trop tentants pour ne pas en tirer plus de biens et d'avantages. Une fois arrivée, la richesse est une fatalité, aucune force ne peut l'arrêter, elle grossit sans cesse, occupe tout l'espace et étouffe la vie.

Dans les archives de la branche américaine des Ebert, deux photos, non officiellement répertoriées, apocryphes dirait-on, donnent à réfléchir, elles ont été trouvées dans son immense bibliothèque de magnat tout-puissant, glissées entre les pages d'un petit livre qui fit grand bruit en son temps, *La désobéissance civile* d'Henry David Thoreau. Hasard ? Signe ? Ce philosophe poète, contemporain d'Ernst Ebert, prônait une vie simple à l'écart de la société, il dénonçait l'esclavage et la ségrégation raciale et considérait le christianisme à l'américaine comme une fumisterie ayant pour but d'habiller de belles raisons les crimes horribles auxquels les Blancs s'adonnaient sur les Noirs, les Rouges, les Jaunes (je veux dire les Chinois) et tout ce qui sentait son étranger, fût-il du cru depuis mille générations. C'est un mystère qu'Ebert soit allé lire ce révolutionnaire américain et placer des photos de lui entre les pages de son livre iconoclaste, antisystème selon la qualification moderne. A-t-il été traversé d'un doute quant à sa vie de businessman implacable ? Envisageait-il une action de dénigrement contre Thoreau ? Se connaissaient-ils, se sont-ils rencontrés ?

La première photo montre le jeune Ernst à son arrivée à New York, le 28 février 1832, l'année et le mois du choléra-morbus au Havre où le trois-mâts *Die neue Hansa* qui le transportait de Bremerhaven, dans le Niedersachsen en Allemagne, à New York, parmi deux cent cinquante solides Germains du nord, un peu bataves rattachés, un peu schleswigeois, s'est trouvé piégé, placé d'autorité en quarantaine, mais qui, moyennant quelque ruse du capitaine, a pu se faire la belle et rejoindre Liverpool où il assura son avitaillement et, de là, *mit wehenden Fahnen*, toutes voiles dehors, cingla vers l'Amérique, droit sur New York. En écrivant cela, j'entends battre dans mes tympans le rythme envoûtant de « *Conquest of Paradise* » de Vangelis Papathanassiou. Le voyage vers l'Amérique était et sera toujours un merveilleux mythe colombien.

Ernst avait une approximative vingtaine d'années toute rougeaude, mais une barbe de vieux phoque mal réveillé le vieillissait d'une autre vingtaine d'années. Il souriait à la vie nouvelle qui bientôt s'offrirait à lui. La pièce valait son prix d'excellence, l'opérateur avait réussi à synchroniser l'éclair du flash et l'éclat d'orgueil qui fusait dans le regard du futur héros au moment précis où l'oiseau magique du succès s'envolait de l'appareil. Cette lueur fugace pouvait être comprise comme l'expression quasi physique de l'espérance, et ma foi, qu'y a-t-il de plus concrètement exaltant que l'espérance sous le ciel vif de New York qui offrait la renaissance à tant d'Européens en perdition ?

Sur la seconde photo, il tient fièrement la pose devant une quincaillerie foisonnante quelque part dans le West. C'est sûr, on y trouve même ce qui n'existe pas sur terre. Sur le fronton de la bicoque, tracée par un artiste de génie, hélas méconnu, se lit une belle annonce : Ebert Hardware Store. À droite, faisant public enthousiaste, une brochette d'Indiens cramés par le soleil, bêtement hilares, avec des plumes d'occasion dans la tignasse, et des squaws ceintes de fichus vivement colorés montrant béatement leurs vilaines bouches édentées. À gauche, un cabot genre Rantanplan en vacances en Amérique regarde l'affaire avec joie, en se grattant furieusement l'oreille. Au loin, à un jet de flèche, se devine une sorte d'arceau bricolé avec des rondins et des planches, se voulant arc de triomphe, avec un mât au bout duquel flotte la Star-Spangled Banner, le drapeau américain. On comprend à plusieurs détails que c'est l'entrée d'une réserve indienne. Avec une bonne loupe, on découvre la confirmation sur une stèle fichée à bonne distance de l'accès.

STATE OF ARIZONA

Territory reserved to the Great People of Pueblos, placed under the Commandment of the 72nd Cavalry Regiment of the Army of the United States of America.

NO TRESPASSING

C'est dans ce carré que les *natives* de la région étaient parqués sous la protection d'une garnison de Tuniques bleues avachies et d'une section de fonctionnaires civils véreux. Le photographe savait l'art de la mise en scène, il a mis toute l'Amérique de l'époque sur un carton jaunâtre de sept pouces carrés cinquante. Au dos du carton, un cartouche tamponné disait : « *Performed in Joshua Bernett's photo lab. 1844, June 22. Clifton. Arizona* ». Clifton était le noyau d'un futur village trépidant que gouverneront péniblement un juge et un shérif, il comptait déjà trois saloons, trois bordels attenants, dix cabanes anonymes, une écurie, une église en brique, le tout se trouvant à un autre jet de flèche de la réserve. Il semblait que dans ce coin de l'Arizona la vie avait atteint un certain idéal : la foi et la débauche réconciliées à l'ombre de la force armée. Ernst avait l'air de ce qu'il était, un petit bonhomme mal fichu, court d'une patte, qui semblait suspendu en l'air par ses grosses bretelles, encore mal assuré dans sa mission de négrier chez les Indiens mais heureux comme un orpailleur tombé sur un bon filon. Ce n'est pas l'image qui est restée de lui aux States, on aime trop les super-héros sous la bannière étoilée de l'Amérique wasp pour faire accroire qu'un boutiquier pour Indiens en voie d'extinction a pu construire une des plus brillantes fortunes de l'Amérique du XIXe et du XXe siècle. Le club est le club, il a ses règles : « Tenue correcte et look honnête exigés ».

C'est en revanche une vue conforme qui est restée de lui dans la branche allemande des Ebert où le respect de la légalité passe avant l'amour de la légende. Les premiers biographes allemands du patriarche avaient découvert une paillardise de bas-fonds dans laquelle il était nommément cité, ce qui n'a pas arrangé son image. La chose se chantait dans les bas-fonds de Bremerhaven, là-bas au nord, le port le plus dégueu de la mer du Nord et de la Baltique de l'époque, d'où partaient en cohortes misérables et joyeuses les migrants allemands vers l'Amérique. Les grouillots du port l'avaient reprise à leur manière et c'est cette version qui nous est parvenue. Elle dit :

Qui est p'tit, cassé et pied-bot,
c'est Ebert le poivrot.
Qui pue l'rat et roule des yeux d'maquereau,
c'est Ebert le clodo.
Qui rêve debout d'or et d'lingots,
c'est Ebert le dingo.
...

Les gosses des rues ne connaissant pas la fatigue, quand ils hameçonnent une proie c'est pour la journée, la chanson s'improvise à l'infini jusqu'à ce que la bête roule dans le trou et rende l'âme.

C'était une paillardise de pauvres comme il en courait des mille et des cents dans tous les ports du Nord, elles se scandent toutes sur le ton des marches militaires américaines, ta ta ta tata-tata… ta ta ta tata-tata… Pas de pitié pour l'ivrogne, incapable de se défendre, les petits voyous le harcèlent jusqu'à ce qu'il plonge dans la baille glacée pour échapper à l'essaim. C'est la fin recherchée, la furia explose puis se fait joyeusement triste, c'est le chant du cygne pour le noyé :

> *Qui s'noie dans le ruisseau,*
> *c'est Ebert le rigolo.*
> *Qui va s'g'ler les cocos,*
> *c'est Ebert le soûlot.*
> *Qui va s'coucher au tombeau,*
> *c'est Ebert le trip'idiot.*
> *…*

Ernst Hans-Günter s'est un jour, et peut-être souvent car il tutoyait volontiers la dive bouteille, trouvé sujet de cette corrida, il a fini à l'eau avec une chanson et une réputation qui courent encore aujourd'hui dans le clan Ebert d'Europe.

Venant de l'arrière-pays de Düsseldorf, il était monté à Bremerhaven pour s'embarquer pour l'Amérique. Trop jeune, il fut refoulé, mais il était de la race des tiques à bestiaux, comme on disait chez lui, teigneux tout plein, il s'accrocha, il hanta les quais de Bremerhaven, ses tripots, ses maisons closes, ses geôles, s'employa dans ses conserveries, ses chantiers navals et ses marchés trois années durant, prit et donna des coups et finalement apprit ce qu'il fallait apprendre pour rester en vie. Il se fit un petit bas de laine et apprit trois mots d'anglais et trois autres de néerlandais, les Rosbifs et les Dutchs étaient réputés tenir le haut du pavé en Amérique. Un jour, après moult trafics, il arracha son ticket d'embarquement pour deux. Il lui restait à dénicher une épouse. Sa réflexion était qu'un homme ne saurait toute la sainte journée courir le danger dans les bois et le soir rentrer dans sa cahute frigorifiée, frire son lard, repriser ses chaussettes et tisonner le feu. Il en dénicha une, une costaude, du genre inflexible, qui saurait tenir une maison et trouver le temps de couper du bois, relever les pièges, abattre des ours, repousser les Indiens, souffrir sans gémir. Elle s'appelait Iris Wilhelmine Dana Rolf. Elle savait bien la Bible, la lisait avec ferveur comme une vraie mennonite qu'elle était, du cru rhénan le plus orthodoxe, chose utile dans le pays de l'Oncle Sam où on peut se permettre bien des choses si on sait alléguer le bon verset et manier adroitement le rosaire.

Le couple ancêtre des Ebert constitué, l'aventure pouvait commencer, *Komme, was wolle!* À la grâce de Dieu, la généreuse Amérique n'attendait que les Ebert pour l'enrichir plus vite, parmi des centaines de milliers d'autres gaillards et gaillardes et d'enfants costauds qui arrivaient en flux incessants de cette Europe exsangue dont le chemin de vie semblait devoir avant peu cesser de courir.

Le duo d'enfer d'Ernst le clodo et Wilhelmine la pieuse serait bientôt au sommet de la pyramide, parmi les familles les plus puissantes d'Amérique. Dans ce pays de cocagne, en ces années mil huit cent trente (1830), l'or poussait encore dans les arbres, une échelle de fortune suffisait pour le cueillir, on pouvait, pour le sport et le plaisir du barbotage, se munir d'une batée et aller le ramasser dans les rivières vives. Nos ancêtres n'ont pas choisi la voie vulgaire et très encombrée des orpailleurs, ils se firent prédicateurs marchands, la race des vrais envahisseurs, qui ont le fonds de commerce et l'éternité pour perspective, l'or qui les intéressait était l'âme des indigènes et leur bien-être. Iris s'était fait un devoir d'en convertir autant que Dieu pouvait en accepter et Ernst trouva l'idée géniale, pendant qu'elle lui expliquait combien le Seigneur serait heureux de recevoir son présent, il comprenait qu'un Peau-Rouge gagné à la vraie foi aurait besoin d'acheter un chapeau de chrétien et un costume d'homme civilisé pour se rendre à la messe dominicale et communier dans l'eucharistie. Mieux, il porterait des chaussures et cesserait d'être un fainéant vadrouilleur pour devenir un travailleur avec une chaîne aux pieds. Il avait tout ça dans son bazar. La crédulité naturelle des Indiens pueblos serait sa mine d'or. Avec une main-d'œuvre payée en prières et en promesses célestes, pas un marché public ne lui échapperait dans l'Arizona et bientôt dans toute l'Amérique. Ebert Incorporated posa des rails, tira des lignes télégraphiques, construisit des barrages et des ponts, perça des tunnels, creusa des canaux, fora des puits de pétrole, installa des pipelines, fabriqua des bateaux, traça des routes, logea des populations entières, les habilla, les transporta, assura leur approvisionnement en tous produits, jour après jour, et au dernier leur offrait des obsèques performantes, en rapport avec leur train de vie. Personne ne pouvait vivre une seule journée de son existence sans devoir quelque somme à Ebert et participer à hauteur de ce prorata à la lente et douloureuse disparition du peuple pueblo de l'État d'Arizona. Grâce aux bonnes œuvres d'Iris Wilhelmine, il se fit une réputation de saint homme qui le plaçait au-dessus de tout soupçon d'esclavage, de génocide et autre maltraitance. Au fil du temps et des occasions, il rejoindrait en cœur et en affaires toutes les armées du Seigneur, catholiques et protestantes, qui s'étaient abattues sur ce pays de pauvres païens. L'argent est saint ou n'est pas, le cultiver, le moissonner, l'engranger, le multiplier, en jouir est acte de foi et d'amour chrétiens. C'était ça l'Amérique d'Ebert le marchand et d'Iris la prêcheuse, l'Amérique des trusts qui se veulent des demi-dieux. C'est cette Amérique que dénonçait courageusement l'ermite de Walden, David Henry Thoreau, qui signait ses livres avec un pseudo peu efficace : Henry David Thoreau.

Dans la foulée de ses conquêtes en Amérique, Ebert fit des voyages éclair en Europe où il implanta quelques affaires, dans une ville et dans l'autre, en confia la direction aux cousins d'Allemagne dont il sonna le rappel, plaça quelques sous ici et là dans les bonnes poches, commanda toutes les bonnes messes pour installer sa réputation de saint prodigue, offrit dîners et cocktails par douzaines, et enfin en retira ce qui le faisait douloureusement rêver depuis qu'il avait découvert la grande noblesse européenne en faisant affaire avec ses plus fins représentants : un titre de baron et une particule pour son nom. Ses amis auprès du roi de Prusse, au Luxembourg, au Liechtenstein et quelques autres minuscules fiefs princiers agirent d'une manière foudroyante et le voilà baron Ernst Hans-Günter Von Ebert. Heureuse coïncidence, *Le comte de Monte-Cristo*, inspiré de faits réels, venait de paraître à Paris sous la signature d'un certain Alexandre Dumas. Il se trouvait lui-même en ce moment à Paris, embarqué dans une tournée des grands-ducs mémorable pour fêter son titre. Il crut réellement que le roman avait été écrit pour lui. Ce fut une révélation. Une nouvelle vie s'ouvrit à lui. Avec une particule, l'argent changeait de statut, il pouvait dorénavant poursuivre de nobles missions.

Dans la branche allemande et ses rameaux néerlandais, anglais, français, helvétique, Dieu n'est pas tant une idole ou un passage obligé, on honore sans plus, il faut le dire comme ça, on paie le denier du culte mais contre reçu pour le déduire de ses impôts.

Le fondateur de la lignée européenne et héritier du titre est William Cornelius Siegfried, l'aîné d'Ernst et Iris Von Ebert. Enfant, il développait sous des airs boudeurs et non-chalants une passion dévorante pour la vérité, il croyait à son existence et à la possibilité de la trouver, « la nécessité », écrivait-il dans une lettre enflammée à son cadet, Johannes Frédéric. Il tenait pour certain qu'elle existait par elle-même, avant toutes choses, avant Dieu lui-même, sinon, arguait-il, elle ne serait pas LA vérité, splendide et absolue, mais seulement la vérité de Dieu, le dieu des hommes, qui n'est pas infaillible puisque changeant, tantôt père aimant, tantôt gendarme impitoyable, le reste du temps badaud tristement indifférent, et que pour l'atteindre, s'il était possible, il fallait sortir du relatif et ne croire qu'à ELLE, à rien d'autre. Il lisait beaucoup mais pas des comics qui enchantaient l'Amérique, ni davantage la Bible qui en empêche la recherche.

Au grand dam des parents, l'héritier se fit libre-penseur, en attendant de devenir révolutionnaire engagé. C'est en découvrant Thoreau dans la bibliothèque-musée du pater familias que lui tombèrent entre les mains les photos compromettantes d'Ernst le clodo et Ernst l'esclavagiste. Les cadavres remontent toujours à la surface, c'est ainsi que les racontars se confirment et deviennent des pièces à conviction dans le dossier. Il s'en amusa et fit circuler des copies. À peine ses études achevées à Harvard, la plus ancienne et la plus prestigieuse université des États-Unis, sise à Cambridge dans le Massachusetts où peu à peu on oubliait qu'un petit siècle plus tôt la justice de cet État progressiste condamnait pour sorcellerie en son comté de Salem une centaine de personnes au bagne et vingt-cinq autres au bûcher, et où à quelques petites années près, le brillant et tourmenté Cornelius aurait eu pour condisciple l'un ou l'autre des Roosevelt, Theodore ou Franklin Delano, le vingt-sixième et le trente-deuxième président des États-Unis d'Amérique, il se lança à corps perdu dans la découverte du monde, pour aiguiser sa pensée critique et échapper à l'emprise de cette Amérique qui servait Dieu et Mammon avec la même terrifiante ferveur, dont sa famille, à sa tête son père saint Ernst le négrier (ou plutôt l'indiennier) et sa mère sainte Wilhelmine la mondaine comme il les appelait en se signant à rebours, était l'abominable caricature. Nulle odeur n'est plus mortifère que celle de l'argent et de l'encens réunis, il le vérifia d'un bout à l'autre du monde. Il ne se laissait plus prendre, il avait appris à distinguer le croyant du pécheur : avec sa bougie baladeuse et son bâton d'encens le croyant ne cherche pas Dieu, il cherche la clé du coffre, le pécheur, lui, se reconnaît à sa démarche hésitante, il va son chemin comme il se présente sous ses pieds, au gré des choses.

Après mille tours du monde et tant de désillusions, aggravées par la guerre en Europe qui entamait sa deuxième année, il rentra à Phoenix en mil neuf cent quinze (1915) pour les obsèques de sa mère, qu'il pleura avec une vraie affection. Si elle avait mal servi son Dieu et son pays, elle avait en revanche merveilleusement et parfois douloureusement sacrifié à sa progéniture, elle était une bonne, fidèle et dangereuse maman. À Dieu, elle rendit son âme à l'âge tout rond de cent ans. Dans le chapitre des dates et des chiffres, les coïncidences ne manquent pas chez les Von Ebert, on les relève comme des signes liturgiques, on aime à penser que là-haut un grand Maître coordonne les horloges des Von Ebert selon une mathématique d'une divine et compatissante précision : Iris est morte cent jours pile avant Ernst, qui s'en est lui-même allé à l'âge tout rond de cent ans. On découvrit plus tard qu'il avait un peu arrangé ses papiers en mil huit cent trente-deux (1832), en s'ajoutant quelques coudées à la naissance pour atteindre plus vite l'âge de convoler et d'embarquer sur le *Die neue Hansa*. Tout cela était à vérifier mais personne n'a cru devoir le faire, foin de la vérité et de l'exactitude, les légendes ne s'écrivent pas avec des précisions et des petites virgules mais avec des approximations et de gros mensonges. L'esprit américain arrivait en Europe avec l'entrée en guerre de l'Amérique contre l'Allemagne et ses affidés de la Triplice.

En mil neuf cent dix-huit (1918), deux mois avant la fin de la guerre, l'hériter William Cornelius Siegfried Von Ebert, l'une des toutes premières fortunes des États-Unis, âgé déjà de soixante-quinze ans, encore vert sur les bords, vint s'installer en Allemagne, dans le Thüringen, à Weimar, attiré par la nouvelle, sympathique et quelque peu improbable parenthèse politique née dans cette ville. Il fut gentiment accueilli par le gotha et se dépensa sans compter. Trop américain pour comprendre ce qui était profondément allemand, il s'en éloigna au bout de quelques mois. Il s'installa un peu à Francfort, un peu à Genève, un peu à Phoenix, et se consacra à ses affaires, il découvrait l'empire vertigineux des Von Ebert, il n'avait pas de frontières et le fond était insondable. Les dirigeants du groupe et les hommes de loi de la famille n'en savaient guère davantage, il y avait des passages secrets inexplorés. Le champ privé d'Iris était lui-même impénétrable, ce n'était pourtant que du patronage, du mécénat, des frivolités de salonnarde... à l'échelle planétaire quand même, on déplace des foules, des bateaux, des avions, des armées, les plus grands artistes, on loue des palaces à l'année, des théâtres et des opéras prestigieux, et ce qui reste après la fête fait la prospérité des petits peuples locaux des décennies durant ; c'est comme ça que les riches sont utiles aux pauvres, par le phénomène du ruissellement, ce qui tombe des mains des uns se ramasse aux pieds des autres. L'écheveau des affaires se perdait sur la lune ou sur Jupiter. Derrière l'ombre, il y a toujours une ombre plus épaisse. Il faut des ancêtres comme ça si l'on veut s'inscrire dans une vraie dynastie américaine. Les frères, les sœurs, les cousins, les épouses, les alliés avaient de même leurs territoires, leurs intérêts croisés, leurs portes dérobées, leurs tentacules, leurs crimes. Ce qui a été écrit et publié sur les Von Ebert d'Amérique l'a été pour le *Who's Who*, ça ne dit rien.

William Cornelius se fit une religion du principe de clarté. C'était dit, foin des hésitations, il conduirait l'empire Von Ebert à partir de l'Allemagne, le pays natal du père fondateur, là on savait faire clair, net, précis, et modeste. La décision affola la famille d'Amérique, les affaires se font en Amérique, que diable, pas dans cette Europe rabougrie, dirigée par des communistes et des intellectuels. Rendez-vous compte, ils ont encore des philosophes en gants blancs qui parlent de révolutions et de droits de l'homme en fumant la pipe. La vérité c'est la Bourse et la Bourse c'est la vérité, elle nous dit tout ce qu'il y a à savoir. Il tint tête et réussit à accroître la rentabilité du groupe de quelques pourcents, ce qui fit reculer les ultras. Mais le panache n'y était pas, l'argent se cache, il est triste, mesquin, honteux, coupable. Sous son règne, il avait l'odeur du regret et du malheur, il n'avait plus cette bonne odeur d'encens, de poudre, de victoire, de fête, qu'Ernst le bandit lui avait donnée dès le premier dollar gagné par lui. Le philosophe Cornelius vivait en retrait de tout, presque en ermite, il ne donnait ni dîner ni bal ni cocktail, comme font les grands promoteurs, il lisait toujours beaucoup et réfléchissait autant.

Un jour de mai 1924, le mardi 13 à vingt-deux heures tapantes, il se suicida. Disons qu'il se laissa mourir, le pistolet n'est intervenu que pour le coup de grâce. Il avait quatre-vingt-un ans. Il aurait pu attendre un peu et partir à l'âge tout rond de cent ans, mais il n'avait jamais été dans le fil de la tradition familiale et puis le cœur n'y était pas. Il n'aimait pas l'ancien monde qui était bel et bien fini avec la Première Guerre mondiale et il n'aimait pas le nouveau monde qui s'installait à grand bruit sur d'immenses malentendus. Il manquait quelque chose. La clarté peut-être. Il n'avait pas non plus le choix, il avait bien essayé de s'inventer un monde à lui, tout clair, vrai et simple, mais ces choses n'existent pas en pratique, tout ternit si vite, Thoreau lui-même n'a pas été plus loin que la théorie et une petite expérimentation de deux années dans la solitude de Walden, le pauvre philosophe des bois est mort à quarante-cinq ans, ce n'est pas rond du tout et pas assez long pour trouver un chemin de sortie.

Son fils, héritier du titre, Karl Ludwig Von Ebert, était un cas, libre-penseur et tête en l'air. Il était le fils de son père, mais différemment, la Vérité pour lui était que chacun suive sa propre voie, elle n'a rien d'universel, elle est individuelle, particulière et unique comme une empreinte digitale, elle naît et meurt avec l'individu. La beauté est là, l'existence éphémère d'une vérité chez chacun empêche l'affirmation définitive d'une Vérité pour tous. Thoreau avait compris la grande leçon de la vie : vivre seul c'est vivre heureux et fort, c'est aussi protéger la société du communisme et du communautarisme, sectaires par nature, générateurs de maux inguérissables et d'interminables malheurs.

Le jeune et brillant Karl pouvait se passionner pour tout, l'astronomique, le fantastique ou l'atomique, la famille avait les moyens de couvrir, mais non, il voulait mordicus se consacrer à sa passion... la pâtisserie. Une vocation comme une autre, après tout. La famille impériale refusait d'endurer un tel ridicule. Un monarque peut se permettre des caprices, réparer des serrures dans son cabinet comme ce Louis XVI, roi des benêts, pas le rejeton d'une famille dirigeant un empire planté dans les cinq continents, réglé à la seconde près sur trente Bourses dans le monde, qui brasse des dizaines de milliards de dollars à la journée sur les grands marchés mondiaux, nomme des chefs d'État, sanctionne des gouvernements, empêche les guerres, contribue au maintien de l'équilibre mondial, œuvre au renforcement de la coopération et de l'amitié entre les peuples, garantie d'un fonctionnement libre et harmonieux des affaires. Sa réputation de sérieux et de puissance sereine, c'était la marque de la famille Von Ebert. On condamna une nouvelle fois ce Thoreau dont l'influence sur les Von Ebert était si funeste, même à un siècle de distance. Karl avait lu son livre et déclaré qu'il le tenait pour plus important que la sainte Bible ou tout autre livre sacré. Il ajouta qu'au bout du bout le bonheur vaincrait, car il sait se contenter de peu, de rien, alors que le malheur a besoin de tout un monde, un théâtre, un public nombreux, un dieu, des complices, des vérités fabriquées, des instruments de mort. Bref, il se voulait maître pâtissier et ne rêvait que d'étoiles sur son blason. On fit son siège, tant et si bien qu'on finit par le persuader d'accepter de sacrifier à sa passion dans un cadre industriel et financier, il aurait plus de moyens pour réussir ses pâtisseries. On se voulait ricanant et démonstratif quand on lui expliquait que la perfection ne se trouve que dans ce qu'on aime. Le groupe se mit à acheter tout ce que le monde possédait de belles biscuiteries et de grandes fabriques de douceurs. Le biscuit l'emporta dans son cœur, un vrai coup de foudre. Le génie des affaires étant dans le sang des Von Ebert, en un rien de temps il inventa deux biscuits qui rapportèrent des montagnes d'argent et un mirifique chapelet de prix : le fameux *der König des Keks* sans lequel les enfants de notre siècle ne peuvent plus vivre, et le non moins fameux Hero qui accompagne les rations ANZAC familières à tous les soldats du monde (fabriqué dans une filiale australienne pour éviter le made in Germany et ses connotations historico-militaristes et jouer sur l'image sautillante du kangourou qui transporte son petit biscuit pour la route dans sa besace ventrale).

Mais on ne vit pas que de biscuits et une entreprise ne se gouverne pas au coup de cœur. Réunie en conclave, après avoir consulté son armée de conseillers, la famille Von Ebert jugea plus sage de confier la direction de l'empire à son épouse, c'est-à-dire moi, Ute Herta Kristen Von Ebert, cousine de Karl, issue de la branche franco-néerlandaise, autrement dit batave de Batavie, ce qui changeait beaucoup de l'Amérique. Karl applaudit à cette idée, il ne se voyait pas en maréchal-président constamment sur le pied de guerre. En ce temps, nous vivions en Suisse, où l'air calme des montagnes helvétiques donne aux émulsions pâtissières une consistance idéale. Karl avait ses activités, il sélectionnait ses laits, ses beurres, ses vanilles et ses cacaos exotiques, moi j'étudiais à l'UNIGE tout à la fois la romanistique allemande et deux langues, l'espagnol et le français, ça remplissait un peu mes journées.

C'en était fini de notre vie bucolique.

J'ai passé un premier mois à signer des centaines de papiers qui faisaient de moi la présidente de centaines de choses, et un autre mois à serrer des milliers de mains de grands messieurs et de dynamiques et élégantes jeunes femmes parlant toutes les langues du monde, qui venaient me présenter leurs félicitations et m'assurer de leur parfaite soumission. Au plus haut de sa gloire, la reine d'Angleterre et des seize royaumes du Commonwealth n'a pas eu autant de courtisans que moi.

J'étais parée... et tout excitée. On attendait que je gouverne le monde, eh bien je le ferais.

J'ai établi des bases ici et là, pour gagner sur le temps et agir *en temps réel*, comme disent les managers fabriqués dans les grandes business schools. On y arrive très bien si tout est planifié longtemps à l'avance et que toutes les hypothèses sont dûment envisagées.

C'était clair, il m'était impossible de m'occuper d'une maison et d'une famille à plein temps, c'est peut-être ce qui a sauvé Hannah, je la couvais comme on étouffe une braise sous la cendre, elle a gagné en liberté, et en cadeaux somptueux, et échappé aux mauvaises odeurs du clan Von Ebert que je me promettais de chasser à grands coups de réformes. Je résidais dans des palaces où j'avais pris des suites à l'année, que j'avais fait meubler à mon goût : Londres, Paris, Francfort, New York, Tokyo, Sydney... j'ai découvert avec le temps que ces palaces étaient tous dans le portefeuille Von Ebert, ce qui expliquait le forfait annuel dérisoire qu'ils m'appliquaient : quatre millions de dollars la suite royale, hors les prestations d'accompagnement. Moyennant quelques précautions stratégiques, j'ai poussé vers ces pays qui commençaient à sortir de terre, j'ai pris de modestes pied-à-terre à deux millions de dollars l'année, à Buenos Aires, Rio de Janeiro, Pretoria, New Delhi, Séoul, et même là-bas à Téhéran chez les Arabes où nous avons découvert du pétrole, du gaz et plein d'autres bonnes choses... Dans ces nouveaux pays, qui, on ne sait pourquoi, sont tous situés au bout du monde, j'ai pu constater qu'on confondait gravement luxe et bazar, on y trouve de l'or à profusion, de l'ivoire, du jade, des peaux de tigre blanc, de la soie... mais pas un brie, un roquefort, de la saucisse de Francfort, un riesling, un chocolat Lenôtre et pas même le *Wall Street Journal*, le *Times*, la *FAZ*, ni... Bref, prise dans la fébrilité des affaires, je n'avais jamais le temps d'approfondir mes sujets, je pouvais parfois dire n'importe quoi. Comment aussi distinguer un président d'un roi, un Chinois d'un Japonais, un mollah d'un pacha, un général d'un chasseur ? Mais bon, ce n'était pas si grave, ces gens m'étaient redevables de quelque chose, et mes assistants suivaient pour réparer.

Réorganiser et moderniser l'empire me prit mes plus belles années. J'y ai mis du cœur. Il commençait enfin à ressembler à quelque chose de civilisé, d'un côté les banques, banques d'affaires, banques de dépôt, les assurances, les sociétés de leasing, de l'autre les entreprises industrielles, commerciales et de services, plus loin les médias, l'entertainment, l'édition, la mode, et... enfin bref, le capharnaüm des Von Ebert était rangé dans mille boîtes rassemblées par couleurs, par activités, par zones géographiques, toutes dirigées par des managers de première force. Au sommet de la holding, j'ai installé un gouvernement avec de vraies missions, contrôlé par une assemblée avec de vrais pouvoirs, et tout là-haut un conseil de la présidence, appuyé par les plus grands cabinets d'avocats du monde, qui m'assistait dans les affaires spéciales. À mes côtés, une armée de jeunes gens brillants, toujours tirés à quatre épingles, tout en noir, qui ne dormaient ni ne mangeaient jamais, qui savaient tout faire, devancer mes pensées, traduire n'importe quoi, écrire tous les discours, bref tout régler dans la seconde, jour et nuit, sept jours sur sept. Je les aimais bien, ils étaient mon ombre, elle me précède et me suit partout, mais parfois ils m'effrayaient, ils étaient silencieux et furtifs comme des fantômes. Je craignais pour leur santé mais en fait non, m'a-t-on dit, la question ne se posait pas, ils étaient simplement formés pour vivre de cette façon, ils n'existaient pas par eux-mêmes, c'étaient des ombres au service du Pouvoir, des extraterrestres asexués et glacés. La nuit, silencieux et impavides, ils se branchaient sur le courant pour recharger leurs accus, mais ils pouvaient aussi s'en passer et rester debout dans les couloirs, attendant la sonnerie, la réception de nouvelles notifications. Il y avait de même l'armée des gardes du corps, des malabars faits de granit et des femmes hyper félines, mais eux ne faisaient rien d'autre que fermer et ouvrir des portes en louchant par-dessus leurs épaules. Il y avait le reste, les fondations, les musées, les universités, etc., auxquels j'ai imposé la même discipline. Une fois que tout fut réglé, il ne restait plus qu'à appuyer sur des boutons. L'empire Von Ebert tournait comme une montre suisse.

Puis vint le temps du repos. J'ai jeté mon dévolu sur Erlingen, mon adorable petite ville natale. J'y pensais depuis longtemps. Avec les moyens qui étaient les nôtres, nous l'avons... comment dire... vite envahie. Je ne crois pas que les habitants se soient doutés de quoi que ce soit. Nous avons acheté tout le quartier autour de notre vieille maison et l'air de rien nous avons construit une nouvelle demeure... plus spacieuse, plus compliquée, une usine à gaz pour mégapole, rien ne manquait, elle avait son héliport, sa centrale électrique, son abri antiatomique, sa rampe de lancement, ses tunnels secrets, ses dépendances à même de lui assurer une autarcie totale en cas de guerre, son administration, ses terrains de sport, son parc, le tout interconnecté et surveillé par satellite. Et je me suis occupée de la ville avec un plan de transformation très étudié. Pas de népotisme, pas de favoritisme, mais une sélection sévère des responsables selon la bonne règle : « *Der richtige Mann an der richtigen Stelle* », l'homme qu'il faut à la place qu'il faut, *the right man in the right place*. Le niveau de vie de la population a changé, c'est sûr, il n'y a ni chômeur ni malade chez moi... je veux dire chez nous. Des amies, toutes présidentes ou héritières de grands groupes et adeptes de maître Thoreau que je leur ai appris à apprécier, m'ont rejointe et nous voilà, la main dans la main, offrant à notre gentille petite ville bonheur et tranquillité, tout le contraire de ce que vivent les autres agglomérations livrées à des magistrats incompétents et corrompus et aux mafias internationales.

Finalement, ce que les Von Ebert mâles n'ont pas réussi, vivre une vie simple éloignée de la société, comme l'enseignait maître Thoreau, une femme, moi, Ute, je l'ai fait. Erlingen est un amour de vie simple éloignée du monde grossier et versatile. C'était mon jardin secret, mon Walden. Les employés de Von Ebert n'étaient pas les bienvenus, ils seraient tous là à me surveiller, à me flatter, à faire des calculs, évaluant le potentiel de croissance et de profit de ce mode nouveau de gestion urbaine que mes amies et moi avions inventé, qu'on pouvait appeler le parrainage des édiles par les grandes sœurs. Le bonheur se consomme en famille, entre amis, de préférence à la campagne. Je leur accordais un jour par mois, à Berlin ou à Francfort, que je passais à signer des tonnes de papiers, sans leur permettre de m'adresser la parole, ils me parleraient sans faute d'opportunités à saisir, d'OPA à lancer, de choses à ne pas rater, de représailles contre des raiders.

*

Telle est la saga des Von Ebert qui, depuis deux siècles, règnent sur l'un des plus grands empires financiers et industriels du monde. Je suis sans doute la dernière à le conduire. Nous avons intensément occupé notre temps et notre espace, mais, il faut l'avouer, nous avons manqué de vision à long terme, qui permet de mieux faire et de prévenir la chute.

Oui, c'est cela, nous avons manqué de vision à long terme. On est toujours porté à penser que notre monde nous appartient et qu'il ne changera que si nous le voulons. C'est compter sans les envahisseurs, il y en a toujours, ils peuvent venir de partout, de l'extérieur comme de l'intérieur par métamorphose, et revêtir toutes les formes, des plus visibles aux plus invisibles. Ceux qui aujourd'hui menacent le monde et l'étranglent par-derrière sont du genre sournois, aussi terrifiants que les envahisseurs qui se sont jetés sur l'Amérique et sur ses peuples, pueblos, navajos, blackfoot, sioux, comanches, cheyennes, cherokees, iroquois, algonquins, hurons, apaches, mohicans, crows, shawnees, pawnees, séminoles, et cent autres tribus qui, toutes, parce que bon sang de bois cela est naturel comme le mouvement de la vie, croyaient que la parole donnée reste valide tant que l'herbe pousse sur la terre, que le soleil brille dans le ciel et que l'eau des rivières continue de courir vers la mer. Si le calumet de la paix est allumé et que les parties le fument en silence autour du feu de camp, c'est fini, la hache de guerre est enterrée, c'est dit pour les siècles des siècles et la preuve est que jamais, à ce jour, les *natives* n'ont repris les armes contre le Grand Chef de la Maison-Blanche, ce qu'ils pourraient parfaitement faire, commettre des massacres dans ce pays où les armes se vendent au Prisunic du coin n'est pas si difficile. À l'ombre des traités, jamais dénoncés, ils furent peu à peu, c'est-à-dire perfidement, dépossédés de leurs terres, de leurs cultures, de leurs âmes, et achevés par tous les moyens possibles dans une démarche mêlant planification et mécanisation à laquelle il faudra un jour donner un nom. C'était hier, quelques siècles à peine… c'était nous les envahisseurs et nous y sommes encore, à pied d'œuvre, avec le sentiment génétique que cette antique terre amérindienne, notre *Nouveau Monde*, nous a toujours appartenu, promise à nos ancêtres par Dieu lui-même, le dieu tout-puissant des envahisseurs et des voleurs. C'est dur pour moi d'être l'héritière d'Ernst l'esclavagiste et la gardienne-receleuse de son immense fortune.

Et voilà que l'Histoire se réécrit dans les mêmes termes. Notre envahisseur est à nos portes et déjà un peu à demeure. Comme les Indiens ne savaient rien de ceux qui venaient prendre leurs terres et leurs vies, nous ne savons rien, si peu, des plans que notre envahisseur se promet de réaliser à notre détriment. Nous laissera-t-il seulement la tête sur nos épaules ?

Note de lecture n° 1

Dans le mystère, il y a un grand mystère

Il m'est arrivé entre les mains un livre qui a formidable-
ment excité ma curiosité. J'étais en train de m'assoupir, les
nouvelles de la guerre larvée chez nous tournaient toutes
autour des mêmes sempiternels points, nous n'avions
pas d'autres sujets : l'envahisseur, le train, les réunions
d'état-major du *Gemeinderat*, la tempête du siècle, l'in-
jonction mystérieuse qui circulait dans le cercle des initiés
« *Give me what I want and I will go away* », les communications coupées dès la première heure, les vivres qui
commençaient à manquer, la banlieue qui bougeait et se
séparait du continent, les étrangers qui disparaissaient
les uns après les autres, les guetteurs qui rapportaient
les mêmes mouvements bizarres à la lisière de la ville,
les gens qui se métamorphosaient inopinément, qui déli-
raient dans des langues incompréhensibles... le tout pris
dans un brouhaha subliminal qui au mystère ajoutait du
mystère. Vraiment trop pour une petite et si mignonne
ville. Et que dire de cette pauvre campagne ensevelie sous
la neige dont les cris la nuit donnaient la chair de poule
aux insomniaques ?

Je me demande si le bon Thoreau connaissait l'affaire, très ancienne, de ce mystérieux opuscule dont parle ce livre. Peut-être aurait-il été plus incisif dans sa critique de la religion. Ou sans doute pas, en son temps, dans le libéral Massachusetts, dans sa bonne ville de Concord la bien nommée, il était dangereux de dire plus qu'il n'avait suggéré dans ses livres, le procès des sorcières de Salem était encore dans les esprits, le fanatisme et la superstition, et les lâchetés corrélatives, étaient toujours là, assoupis seulement, assoupis comme nous le sommes nous-mêmes.

Cette affaire, qui a causé bien des remous au cours des siècles, aurait quelque chose à voir avec notre roman sur l'envahisseur et le siège qu'il nous impose, même si je ne vois pas comment, à part le fait que les croyances, qu'elles soient d'hier ou d'aujourd'hui, ne s'opposent jamais que lorsqu'elles sont fausses, approximatives ou vérolées, et c'est bien de ça dont je veux parler dans notre livre, le choc des croyances bidouillées et des superstitions, et les métamorphoses inacceptables qui en résultent.

Mais bon, écrire un roman c'est d'abord ça, amasser des documents, rassembler des idées, produire des notes, faire du tout une brassée, ajouter un peu de ceci, un peu de cela, et attendre que ça prenne, quelque chose viendra. On l'appellera roman si ça se lit et si ça donne à réfléchir.

L'histoire est celle d'un opuscule qui serait apparu à une époque indéterminée entre le XIe et le XVIIIe siècle, que personne n'a jamais vu, dont l'auteur est à ce jour resté inconnu. C'est déjà très étrange. Ah, il y a encore ceci, on ne connaît pas le contenu du livre, ni dans quelle langue il est écrit, on ne sait rien de rien. C'est dur pour des gens comme nous qui fonctionnons sur des réalités immédiates pouvant être pesées, soupesées, disséquées, senties, goûtées, discutées. Ah, encore une lacune, nous ne connaissons pas le titre du livre. Ce serait pareil si on parlait du vide, nous n'aurions rien à dire, avouer nos infirmités tout au plus. En fait nous dirions beaucoup, et avec passion, car en l'occurrence il s'est trouvé quelqu'un, resté anonyme lui aussi, qui a révélé, à on ne sait qui, on ne sait quand, que l'ouvrage aurait eu un titre et quel titre, *Tractatus de tribus impostoribus : Moyses, Iesus Christus, Mahometus*, en langage moderne, *Le traité des trois imposteurs : Moïse, Jésus-Christ, Mahomet.*

On comprend les dérobades accumulées tous ces siècles.

En ces temps où l'Église et la Mosquée martyrisaient les peuples par le fer, le feu et le Saint-Esprit, l'affaire prit des proportions planétaires et mit en alerte rouge tous les rois de la chrétienté, tous les sultans de l'islam, tous les rabbins dispersés de par le monde jusqu'au Sanhédrin en sa sainte ville, la très convoitée Yerushaláyim, Jérusalem pour les chrétiens, El Qods pour les musulmans. Les hérétiques et les apostats n'en menaient pas large, trois religions du Dieu unique qui tempêtent en même temps, c'est tout le malheur du monde à la puissance neuf qui s'abat sur les innocents. Rien de nos jours ne saurait provoquer une telle émotion, sauf la réédition de la malédiction de 1929, inaugurée ce terrible *mardi noir*, qui, rappelons-le pour bien mesurer ce qui nous attend, n'a pu être conjurée qu'après une guerre mondiale, suivie de mille guerres locales encore plus cruelles, une quarantaine de millions de morts aux quatre coins de la planète offerts aux molochs de notre temps, et une perte de confiance totale et définitive en l'homme.

Le fait est que de tous les livres mystérieux, et j'en ai acquis quelques-uns, les plus célèbres, celui-ci est le plus mystérieux... et le moins connu. *Le manuscrit de Voynich, Le codex seraphinianus, Le livre mystérieux de l'au-delà, Le livre d'Énoch, La monade hiéroglyphique, Le livre de Thot, Mutus Liber* ont leur mystère et ils le gardent entier, mais eux sont physiquement là, je les vois, je les touche, je les lis sans en comprendre le premier mot, ils sont dans ma bibliothèque et leur présence sur une étagère suffit à les rendre anodins, mais lui c'est son inexistence physique qui est un mystère, or il doit exister et être présent partout puisque beaucoup et non des moindres en ont parlé, ont dit l'avoir vu, touché, lu et compris et davantage, ont dit qu'ils en avaient une copie qu'ils montreraient à qui le demanderait. Il est bien le roi des livres mystérieux, le boson de Higgs de la littérature ésotérique.

Il y a un espace réservé pour lui dans ma bibliothèque, si un jour on en découvre un exemplaire et que je peux en acquérir une copie. Promis, je mettrai le prix fort, ceci est un appel aux scouts de l'édition, aux collectionneurs et autres intermédiaires.

Pourquoi fais-je collection de livres mystérieux ? Par goût du mystère ? Point du tout, je me suis dit que comprendre les mystères anciens, plus à notre portée car étant conçus par des gens moins savants que nous, nous aiderait à comprendre les mystères modernes, me fondant en cela sur l'idée que les phénomènes, pour différents et révolutionnaires qu'ils puissent paraître, sont forcément reliés par quelques principes, ceux de la continuité et de la similarité par exemple, qui découlent eux-mêmes du principe de cohérence fondamentale que le monde semble respecter, ce qui est conséquent vu que le monde existe et se tient stable par lui-même. Si une chose est, accomplie en sa forme, elle a donc une histoire, avec un début, une enfance, elle a été élémentaire, puis a évolué vers plus de complexité, forcée par moult circonstances, un environnement nouveau, notamment, sophistiqué, agressif. Résoudre un mystère par un autre mystère est certes une méthode curieuse pour avancer vers la clarté, mais en connaissons-nous une autre pour déchiffrer l'indéchiffrable ? Le raisonnement par l'absurde n'a-t-il pas fait progresser la connaissance mathématique ?

L'affaire est arrivée aux oreilles de l'Église, voilà le problème. Quand la religion vient se mêler des faits, ils ne sont plus des faits, mais des manifestations de Dieu ou du Diable, et c'est à elle qu'il revient de dire ce qui est à l'un, ce qui est à l'autre, et ce qui reste pour César.

Ceux qui lui rapportèrent la nouvelle disaient qu'un livre attentatoire à Christ Jésus circulait sous cape. Son Éminence l'évêque de Rome et souverain pontife en tressaillit de mauvaise joie.

« *Quid est titulus eius ?* »

Ils ne savaient pas. Plus tard il fut nommé *Le traité des trois imposteurs*.

« *Qui sunt isti seductores proficient ?* »

On ne sait, Monseigneur, on suggère qu'il s'agit de... euh... mille pardons... ils moquent notre Seigneur Jésus-Christ, fils de Dieu, mort en la sainte croix et ressuscité d'entre les morts pour la rémission de nos péchés, Moïse guide et légiste des juifs et aussi Mahmoud le chamelier, chef des ismaéliens et des hérétiques.

« *Qui calumniatur Iesus demonium est, introeuntes montem ad palum.* »

On ne connaît pas l'auteur, Monseigneur, ni l'éditeur, ni le lieu, ni la date de son apparition.

« *Quaeretis et invenietis !* »

L'affaire arriva chez le roi qui ordonna : « Je veux ce livre ! » Les barons agirent de même, partout en Europe. Puis ce furent des éditeurs, des libraires, des collectionneurs, des philosophes, des aventuriers, pour leur compte ou celui de leurs mandants. Et de là par effet cinétique, l'Europe entière en état de choc s'est trouvée huit siècles d'affilée prise dans le tourbillon du mystère. Chercher le *De tribus impostoribus* ou chercher le Graal, c'est pareil, l'effort est vain mais combien exaltant.

Entre autres grands nobles et honorables personnages, on accusa Frédéric II, l'empereur du Saint Empire romain germanique, d'en être l'infâme rédacteur ; l'incrimination venait du pape en personne, Grégoire IX, un querelleur méchant et rancunier, un intrigant retors et minutieux comme le Diable, celui-là même qui créa le tribunal de la sainte Inquisition et rendit la vie horrible pour tous, grands et petits seigneurs, gens de cour et ecclésiastiques, et petites gens du peuple. Puis on s'en prit au grand Averroès et au non moins gigantesque Moïse Maimonide, qu'on traita d'hérétiques et de sataniques, puis à Simon de Tournai, Pierre des Vignes, Nicolas Machiavel, Bernardino Ochino, Gerolamo Cardan, Giordano Bruno, Cesare Vanini, Thomas Hobbes, Baruch Spinoza, que l'on surveilla de près, le baron d'Holbach, etc. La liste était si longue que les plus suspects étaient ceux qui n'y figuraient pas.

Le fait que ce livre ait disparu des radars de notre époque ne veut pas dire que le dossier est clos, n'y croyez pas, l'eau ne dort jamais qu'en surface. Je ne m'intéressais pas à ces choses et voilà que je m'y suis attelée, je le cherche moi aussi, le *De tribus*, et j'ai mis du monde sur le coup, le groupe Von Ebert dispose d'un centre de veille stratégique qui sait le passé, le présent et le futur du monde. L'Inquisition a travaillé d'arrache-pied, elle voulait un coupable et des complices, on lui en présentait tous les jours. Les encycliques se suivaient, pressantes et coléreuses : « *Invenietis serpens venenum exspuit ejus in domini nostri.* » Chercher le serpent est un réflexe vieux comme le monde.

Je n'ose penser à ce qui a pu se commettre en ces terres d'islam, Mahomet est la prunelle des yeux d'Allah, les fidèles tueraient leurs enfants dans le ventre de leurs mères pour un seul de ses cheveux. Des rumeurs terrifiantes remontaient du Bosphore, le calife aurait envoyé des séides en Europe, à Amsterdam, Kiel, Oslo, Paris, Bâle, Genève, Lyon, partout où des éditeurs perfides se sont fait l'habitude de dénigrer la vraie religion et de moquer son prophète. Une liste de présumés coupables fut dressée, ils étaient voués à être enlevés et conduits devant le Grand Turc qui promettait de leur arracher le foie et de le dévorer cru, selon une certaine tradition arabique qu'il souhaitait actualiser et imposer sur les champs de bataille, tant pour le pouvoir d'excitation qu'elle exerce sur les troupes que pour le potentiel de terreur qu'elle exerce sur l'ennemi, et sur laquelle je me suis documentée tant elle m'a paru extraordinaire : elle a été inventée par la terrible Hind Bint Utba, épouse d'Abu Sufyan ibn Harb, seigneur tutélaire de La Mecque, grand dénigreur d'Allah et persévérant persécuteur de Mahomet. J'ai appris incidemment que cette Hind était la mère de Muawiya, un parfait sale gosse, futur calife et fondateur de la très sanguinaire dynastie éponyme des Omeyyades. La mécréante Hind s'est taillé une place dans l'histoire islamique. Pour venger la mort de son père, tué au combat par Hamza ibn Abd al-Muttalib, oncle de Mahomet et général émérite de l'armée naissante de l'islam, elle participa en personne à la fameuse bataille de Uhud qui opposa les mahométans et les seigneurs de La Mecque pour le contrôle de cette ville. Sur le champ de bataille, alors que Hamza mortellement touché par un Nubien, champion olympique du lancer de javelot, embauché à cet effet par Hind, se vidait de son sang, la tigresse se jeta sur lui, lui ouvrit le ventre, arracha son foie tout fumant et le dévora goulûment, galvanisant par ce geste théâtral ses troupes qui perdaient pied devant les farouches mahométans, leur assurant ainsi une victoire éclatante.

De là est née la tradition islamique de dévorer le foie de son ennemi. Elle disparut avec le temps, les grands califes ayant conquis le monde, ils n'avaient plus de belles occasions de se montrer si magnifiquement cruels.

Une coutume pareille pourrait-elle renaître et arriver chez nous ? Il faudrait le savoir avant.

Cette incroyable chronique autour d'un livre n'a pas duré quelques mois, quelques années au plus, mais huit siècles entiers, et du Moyen Âge jusqu'à la Renaissance les journées étaient longues. Quel livre a fait mieux en matière de durée et de folie ?

À force d'imaginer les thèses que le mystérieux auteur aurait pu développer pour démontrer la fraude de Moïse, Jésus et Mahomet, les chercheurs ont en quelque sorte écrit le traité à sa place et, ce faisant, ils ont de manière incidente mis en évidence le mécanisme nodal qui fait l'imposture et l'imposteur, c'est la tendance naturelle de l'homme à croire à ce qui n'est pas crédible et celle du croyant qu'il devient à s'enfermer dans ses certitudes et à s'interdire par tous les moyens d'en sortir. Si le complot n'existe pas, on l'invente et on l'avale comme le poisson avale l'hameçon. Cette autocastration, souvent suivie de jeûnes hallucinatoires, le transforme en fou furieux et le pousse à se jeter sur le passant pour le subvertir ou l'occire. S'il en attrape beaucoup, il sera un grand fidèle et sa religion gagnera en force et en rayonnement. *Le traité de la bêtise humaine face aux divines propositions de Moïse, Jésus et Mahomet* eût été un titre approprié, et œcuménique à souhait.

De nos jours, alors que la richesse du monde ne cesse de croître, en même temps que le nombre de miséreux, nous sommes tenus de ménager tous les croyants, y compris ceux qui croient en n'importe quoi. Ceux qui ne croient en rien n'ont pas d'autre issue que de se mettre à croire en quelque chose, n'importe quoi, pour obtenir attention et respect ; et de la sorte, quand chaque homme de cette planète sera un croyant confirmé, le chapitre de la pensée et des jeux de l'esprit libre sera clos. Pas d'innovation, pas d'antagonisme, pas de sédition.

Beaucoup de choses ont été dites mais nulle part je n'ai vu l'hypothèse que l'invisible traité pouvait n'avoir nullement eu pour objet de nuire aux fondateurs de nos sympathiques et fraternelles religions mais seulement de dénoncer par un vulgaire fabliau trois brigands, Pierre, Paul et Jacques, ou Hans, Helmut et Herbert, ou Abdelaziz, Saïd et Ahmed, qui se seraient donné de nobles alias, Moïse, Jésus et Mahomet, pour embrouiller les petites gens et s'enrichir à leurs dépens.

Au départ l'ouvrage aurait eu pour titre *La fable des trois faussaires, Pierre, Paul et Jacques,* que des comploteurs contre l'humanité croyante ont tourné en traité accusatoire et blasphématoire impliquant les divins messagers. Il suffisait au rédacteur de taire son nom et de faire disparaître le livre pour créer un trou noir de mystère et semer la graine de la zizanie qui de crime en crime dresserait l'Europe contre elle-même et conduirait juifs, chrétiens et musulmans à s'exterminer. De nouveaux prophètes sortiront de ce tohu-bohu avec l'idée, à leur tour, de mener l'humanité sur la voie du vrai Dieu. Positivons, à la longue on tirera le bon numéro et l'humanité sera enfin sauvée.

Pour conclure : le mystère d'hier explique-t-il le mystère d'aujourd'hui ? Telle est la question, et le mystère actuel est l'envahisseur. Nous ne savons rien des croyances qui l'animent mais sa façon de se couvrir de hardes ridicules, d'être partout et nulle part, de se tapir dans l'ombre et de frapper dans le dos, de savourer ses victoires par des cris aberrants et des transes échevelées, semble dire que sa religion, si c'en est une, s'est construite sur la tradition des peuples chasseurs-cueilleurs et s'exalte de nos jours sur des ruminations propres aux groupes humains qui sont passés de la société archaïque menacée d'extinction à la société de consommation compulsive sans passer par la société de labeur et de production de biens. Cela se conçoit, sans moyenne l'équilibre est impossible, le franchissement du vide est mortel, tout autant que le grand écart en matière de civilisations.

C'est une explication parmi d'autres.

Question subsidiaire : que s'est-il passé en ce Moyen Âge européen, alors que la foi religieuse dominait la terre et les cieux, jusqu'à la Renaissance qui a vu la raison libre prendre son envol, que l'on rompe tant de bâtons sur les prophètes homologués du Dieu unique ? Outre le sacrilège *De tribus impostoribus* que l'on a attribué à l'un et à l'autre des plus grands penseurs juifs, chrétiens et musulmans de ce temps, on a prêté à d'autres grands théologiens la rédaction d'un traité ayant pour titre *Traité de l'invention des saints patriarches, Abraham, Isaac et Jacob* (apparu en Palestine en 1136). Personne n'a trouvé grâce aux yeux des blasphémateurs, ni les prophètes ni les patriarches. Il y avait un plan mais on ne voit pas lequel. En notre siècle, les prophètes sont tranquilles, les tribunaux civils et l'armée des soumis bénévoles les protègent mieux que n'y parvenaient la terrible Inquisition et l'impitoyable police du Roy. Abraham, Moïse, Jésus, Mahomet y perdent un peu car « sans la liberté de blâmer il n'est point d'éloge flatteur », mais du moins, ils dorment sur leurs deux oreilles.

Bonjour Hannah,

Passons sur les préambules, je vais droit au but : sais-tu la nouvelle ? Non bien sûr, vu chez nous l'événement est colossal, comme si les extraterrestres nous visitaient enfin, mais ramené à sa réalité, c'est peu de chose, très peu de chose : avant-hier, dans la petite brume matinale, un coucou d'aéroclub a survolé Erlingen à basse altitude... mille pieds à mon avis, pas plus ! La population a aussitôt envahi les rues. C'est flippant une ville entière debout, transie et fascinée, qui regarde le ciel, qui le fouille comme si Dieu y avait caché un... euh... mais *Que cherchent-ils au Ciel, tous ces aveugles ?* Qui disait cela déjà ?... Baudelaire ? Oui, sûrement, il a dit aussi :

Contemple-les, mon âme, ils sont vraiment affreux !
Pareils aux mannequins, vaguement ridicules ;
Terribles, singuliers comme les somnambules,
Dardant on ne sait où leurs globes ténébreux.

De la terrasse du troisième, de ton solarium-salle de sport olympique qui s'ennuie de toi, j'arrivais presque à le toucher, le miraculeux coucou, il vrombissait si agréablement que j'ai failli m'endormir sur mon cappuccino. Il a bouclé deux tours au-dessus de la ville, puis il a joliment balancé des ailes en guise de salut amical et il a piqué sur Tartagen et Mörlingen. Il venait de Kohlindorf, c'est sûr, c'est la preuve que le *Ministerpräsident* tenait la barre comme un vrai chef, il pensait à nous.

Petit coucou, petite autonomie, on a donc conclu qu'il repasserait très vite pour rentrer à sa base, mais non il n'est pas revenu. Grosse déception, cet oiseau c'était le paradis qui nous honorait de sa visite. Certains qui ont des oreilles de chauves-souris (résultat d'une précédente métamorphose) ont juré qu'au bruit qu'ils captaient dans le lointain il aurait pris par Denake au nord, et d'autres à qui il a poussé des yeux d'aigle au bout de leurs antennes télescopiques ont juré avoir vu son éclair darder sur Warstok au sud. À trente kilomètres, pour les handicapés que nous sommes, c'est tout bonnement de la divination. Détails que cela, l'essentiel est que nous ne sommes plus seuls sur terre, tu te rends compte, chérie, le monde existe, quelqu'un se soucie de nous, c'est merveilleux. C'est la cavalerie qui arrive à point nommé pour sauver la petite famille de fermiers encerclée par les Indiens. La foule s'est déchaînée, je te promets, elle s'est saoulée de joie, de pleurs et des bonnes blagues grasses et malodorantes de la fête de la bière, qui a bien coulé dans les gosiers. Ce n'est pas tout, de la terrasse avec ta lunette astronomique de cinq pouces neuf, ultrasensible, avec appareil photo et ordinateur incorporés (ton cadeau pour tes huit ans, si je me souviens bien), je l'ai vu, je te le jure, quel spectacle, des gens qui s'étaient perdus au-delà des frontières reprenaient figure humaine, les uns complètement, c'était beau de les voir se rengorger, glousser, secouer la crête et la crinière, se remonter le jabot, frapper le sol de leurs sabots, les autres moyennement, ils se dépliaient en titubant, ils riaient de leurs mouvements grotesques et semblaient se demander à quoi ces deux longs bras latéraux articulés et fourchus accrochés à leur cou pouvaient servir. En moi-même, je les encourageais : vas-y mon gars, ce sont tes bras et tes mains, accroche-toi, tu y es presque !

Dans l'après-midi, on a appris que le Piper, semblable en tout point à celui que tu as eu pour tes seize printemps (le tien était en fait un Cessna Skycatcher Pro, trois fois plus rapide), avait fait du rase-mottes à l'orée de la ville et qu'il avait largué sous le mufle fumant des vaches une sacoche plastifiée cachetée contenant un courrier pour le *Bürgermeister*. Avec ce froid qui se montrait de plus en plus étrangement pénétrant, je souffrais trop de la hanche pour me relever et courir chez le misérable Stein, qu'il me dise un peu le contenu du message. Je m'apprêtais à le convoquer lorsque son héraut s'est répandu par les rues pour annoncer à la force de son mégaphone que Son Excellence le seigneur *Bürgermeister* s'adresserait à la population dimanche à dix heures sur la *Domplatz*, la place de la cathédrale.

Un jour d'attente de plus c'est la mort pour des gens qui dans la peur et l'aigreur attendent depuis si longtemps qu'ils ont perdu leur orientation humaine, jusqu'à la morphologie, devenant pour certains pierre, souche, lichen, mollusque, ou lézard pour les plus vifs.

Si je ne puis me relever, j'enverrai Helmut avec ton magnétophone portatif... tu te souviens... ce truc gros comme un camion que tu as eu pour ton entrée en sixième, il était le premier à sortir de notre usine Ericsson en Suède, une révolution à l'époque.

Dans ce laps de temps, apporté par l'apparition miraculeuse du coucou, la gentille Erlingen a renoué avec ses airs de mignonne de la bonne bourgeoisie qui va à l'école, qui lèche les vitrines, bien tristounettes depuis le blocus de l'envahisseur, rappelant aux anciens les temps noirs de la guerre, qui court à des rendez-vous amoureux, profite du soleil pour s'offrir un bain de bonheur... avec quand même une lueur d'angoisse au fond des yeux, le coucou a pu apporter de mauvaises nouvelles, pas des bonnes, la tendance est depuis si longtemps à la faillite qu'on ne se souvient plus du où quand comment naissent les phénomènes annonciateurs de succès et de félicité ; on ne les attendrait pas, avec des airs coupables en plus, on irait les cueillir à la source, on chercherait la formule pour les cultiver chez soi, sur son balcon.

Mais une chose s'est rompue dans l'ordre magistral du monde : la pierre d'angle, quoi d'autre. Le pouvoir qui va avec a suivi, il a chuté dans la honte. De tout temps, il a appartenu aux hommes, aux plus forts, aux plus entreprenants, aux plus riches, ce qui assurait la pérennité de l'espèce, mais là c'est quoi, il n'est à personne, il va à vau-l'eau, avec la ruine au bout. Les gens vont de métamorphose en métamorphose plus étrange, plus dégradante, c'est inconcevable. Ce n'est pas seulement la conjonction des planètes qui est mauvaise mais aussi celle des quatre-vingt-huit constellations et celle de toutes les galaxies à portée de calculs, ce fichu monde se noie dans son jus.

Nous avons donc attendu dimanche, qui a fini par arriver. Le prudent Helmut était sur place dès huit heures du matin pour trouver le bon endroit où installer son barda, cantine, chaise pliante, chauffer et armer le magnétophone et ta caméra super grand angle avec trépied à suspension pneumatique et stabilisateur gyroscopique que tu as eue pour tes dix ans, j'espère qu'il saura la manier, il faut un brevet et une accréditation pour ça, et qu'il te la rendra entière, son état empire de jour en jour, ce pauvre Helmut, il ne va pas tarder à nous faire une métamorphose carabinée, lui aussi. Je le voyais en toutou de Magda mais je crois qu'il a dépassé ce stade, il va s'en aller en petite poussière que le vent dispersera sans difficulté.

Le *Gemeiderat* est arrivé au grand complet et s'est un peu honteusement hissé sur le parvis de la cathédrale, comme s'il portait le poids du monde sur ses épaules, et en l'occurrence c'était vrai, coupée du pays, Erlingen était le monde en son entier, considéré dans ses dimensions et ses problématiques. Le reître Stein affichait un air affligé qui a douché les gens. Son aréopage, ses complices dans un certain projet de génocide devrais-je dire, s'est planté derrière lui tels des offi-ciants de mauvais augure autour du faux prêtre. La scène avait de quoi décourager.

Il s'approcha du micro, hésita, se tourna vers les siens un peu affolé, se reprit, toussota, puis d'une voix lente, grave, hachée par l'émotion, se mit à parler.

Cinq minutes durant la foule l'a écouté tête basse comme s'il disait la dernière messe du monde. Elle retenait son souffle et ses larmes, elle attendait le jugement de Dieu.

Écoute ça (deux morceaux choisis) :

Merci mes amies, mes amis, d'être venus si nombreux. J'avais autant besoin de vous parler que vous aviez besoin de m'entendre. Ce rassemblement montre que les épreuves ont fait de nous une vraie communauté.

Mes amies, mes amis... Je... Nous sommes devant une nouvelle épreuve, je pense que jamais communauté humaine ne fut placée devant un tel drame. Avec votre pleine mobilisation et l'aide de Dieu, nous saurons l'affronter mais, hélas, il faut le voir, quel que soit le chemin que nous choisirons, rien ne nous sauvera de l'infamie dans laquelle le dilemme nous plonge. Je n'ose lever les yeux vers vous pour vous exposer les données que... qui... je... euh... je... pardon... mff... mff..., excusez-moi... je suis trop ému... je vais demander à mon assistant Johan-Wilfried de vous lire la lettre que m'a envoyée le Ministerpräsident *par le petit avion... Lisez, cher Johan-Wilfried, lisez tout, nous n'avons rien à cacher à nos chères concitoyennes et à nos fidèles concitoyens.*

Johan-Wilfried est un bon garçon, gélatineux et froid à point, sorti d'une bonne école d'administration. Il savait lire, je veux dire qu'il a lu la correspondance comme le *Ministerpräsident* l'a dictée à sa secrétaire, avec dans la voix le ton qui sied, neutre et imperceptiblement péremptoire, ce n'est pas un sermon ni un concours de poésie, c'est une lettre administrative émanant d'une autorité administrative, destinée à des agents administratifs sous sa tutelle. Le public était tout coi, presque au garde-à-vous. C'en est effrayant, et cela se vérifie en tout lieu, depuis le temps des cavernes l'homme n'a jamais su résister au style administratif, il le paralyse comme le regard du serpent obnubile la souris. *Gut gespielt, Herr Stein !* Bien joué, chef, c'est comme ça qu'il faut parler aux gens, on s'adresse à des administrés, pas au peuple.

Monsieur le Bürgermeister, *cher collègue et ami,*

Je ne doute pas que la situation chez vous est aussi difficile qu'elle l'est chez nous et partout dans le monde.

Croyez bien que dans le territoire du Land dont j'ai la charge légale, nous prenons toutes les mesures nécessaires pour résoudre les problèmes auxquels nous sommes durement confrontés. Erlingen qui nous est chère fait partie de mes priorités. Ainsi que je vous le disais dans mon précédent message, nous travaillons activement à votre sauvetage. Dans ce courrier porté par deux courageux motards il y a une huitaine (dont nous n'avons reçu aucun signe de vie mais je veux encore croire qu'ils sont arrivés chez vous et qu'ils ne tarderont pas à reparaître dans leur base), je vous informais de ma décision de vous envoyer un train pour évacuer la population d'Erlingen sur Kohlindorf et si possible celle de Mörlingen. La mission s'est avérée plus difficile que prévu mais nous arrivons au bout. Un train a été formé, il est avitaillé en carburant, l'escorte est constituée et nous n'attendons que de trouver des machinistes expérimentés volontaires pour lancer l'opération Life, tel est le nom de code que nous donnons à votre évacuation.

Il y a un hic : nous ne disposons que d'un autorail diesel, il peut tracter huit wagons. Avec une deuxième machine, une locomotive de manœuvre que nous essayons de réparer, nous irons jusqu'à douze, treize wagons, nous ne pouvons faire plus, la configuration du terrain vers Erlingen et l'état de la voie ne le permettent pas, ni la puissance additionnée des machines au regard de la charge embarquée.

Les cheminots nous disent qu'en enlevant les sièges et en serrant au maximum les passagers, au-delà du tolérable le cas échéant, cinq par mètre carré, nous pourrons embarquer trois à quatre mille personnes avec une locomotive et quatre à cinq mille avec deux machines. Aucun bagage ne sera autorisé. Il faudra tenir compte du sentiment de frayeur extrême qui peut s'emparer de personnes voyageant dans ces conditions de confinement, de brutalité et de dénue-

ment, elles peuvent imaginer le pire. À vous d'apprécier la capacité de résistance de vos administrés et de prendre les mesures à même de les rassurer. Rappelez-leur que le trajet n'est que de cent vingt kilomètres et qu'à Kohlindorf les attend le plus fraternel des accueils.

À l'instant où je vous écris, une équipe de techniciens vérifie l'état de la voie ferrée. Des travaux semblent nécessaires en certains points mais l'inspection se poursuit et nous espérons pouvoir avancer au plus près d'Erlingen, peut-être jusqu'aux gorges du Santanz. Le tronçon suivant, à l'intérieur de la Schwarzwald, la Forêt-Noire, reste problématique, des choses étranges y ont été observées. Selon nos meilleures prévisions, le premier convoi partirait dans une vingtaine de jours. Tenez jusque-là.

Monsieur le Bürgermeister, *cher collègue et ami, il vous appartient :*

Un, de vérifier l'état de la voie ferrée de votre gare jusque-là où il est possible de le faire sans mettre en danger vos agents ; il faudra déneiger autant que possible et renforcer le ballast par bourrage, sinon par injection de sable pour faciliter le mouvement du train et économiser le carburant.

Deux, de prendre les mesures appropriées pour dresser la liste des personnes qui seront transférées par les différents convois. Je vous suggère de recourir au tirage au sort et de compter le nom tiré pour la famille nucléaire, couple et enfants mineurs.

S'il vous reste du carburant dans vos stocks stratégiques, vous voudrez bien nous l'envoyer par retour de train, nous sommes à court. Pour cette raison, nous ne pourrons assurer avec nos stocks que deux voyages sur Erlingen. Pour Mörlingen, *nous cherchons d'autres solutions. Selon certaines informations obtenues par le biais de radioamateurs qui font un travail admirable pour maintenir des liens dans le monde et d'intrépides syndicalistes de Mörlingen qui ont tenté des sorties avec des traîneaux improvisés tirés par des chiens réquisitionnés au chenil municipal, le mont Tartagen est totalement impraticable et les avalanches fréquentes n'arrangent pas les choses. En outre, des mouvements suspects ont été observés dans le secteur, ils semblent converger vers le barrage des Hautes Eaux. Je crains le pire pour les agglomérations qui se trouvent en aval, dont Erlingen.*

Trois, de prendre les mesures utiles pour mettre à l'abri le patrimoine artistique de la ville dans les anciennes mines de sel et d'organiser la sécurité des citoyens qui resteront à Erlingen en attente d'un prochain train. Nous vous enverrons un lot de fusils, faciles à manier, pour armer des volontaires, ainsi que des rations de guerre pour une semaine.

Un dernier point, comme je vous le disais dans le premier courrier, je vous engage à appliquer fermement le plan ORSEC, la dernière version est appropriée au contexte actuel. Les pillards devront être sévèrement sanctionnés, ils sont la plaie partout où l'autorité de l'État se relâche. Je vous apprends que depuis le 15 courant, nous sommes passés sous le régime de l'état d'urgence renforcé et qu'il est possible que la loi martiale soit déclarée sous quinzaine dans certains Länder, dont le nôtre.

Si vous trouvez le moyen de nous faire parvenir dès à présent un rapport de situation aussi exhaustif que possible ainsi que vos commentaires sur les mesures prises en votre faveur, je vous en saurais gré, nous manquons d'informations de terrain pour peaufiner notre stratégie à court et moyen termes.

Vous voudrez bien enfin assurer la population d'Erlingen de mon admiration pour le courage et la patience dont elle a fait preuve jusque-là. Je l'encourage à poursuivre dans cette voie jusqu'à la victoire totale sur les malheurs qui frappent notre pays et le monde. Qu'elle sache que nous ne céderons pas devant ces lâches hideux qui nous menacent sans jamais se montrer.

Dans l'attente de vous lire et de vous recevoir un jour prochain à Kohlindorf ainsi que toute la population de votre ville, je vous adresse mes salutations les plus amicales. Dieu vous garde.

Signé : Heinrich Klaus Hoffman, Ministerpräsident.

L'assistant s'arrêta net comme lorsqu'on enclenche le bouton arrêt d'une machine à lire. A alors suivi un temps de latence assez incompréhensible. Et là, dans l'entre-deux, il s'est passé quelque chose d'extraordinaire, qui a désarçonné le placide produit des écoles d'administration, il en a perdu ses lunettes de profondeur : la population, rang après rang, bloc après bloc, est tombée à genoux et, après quelques secondes d'un silence sidéral, s'est mise à réciter le *Pater noster* : « *Pater noster, qui es in caelis, sanctificetur nomen tuum, adveniat regnum tuum, fiat voluntas tua, sicut in caelo et in terra...* »

L'évêque, déjà ébranlé de voir tant de monde à genoux au pied de sa cathédrale, connut l'émotion de sa vie, le peuple retrouvait la foi et l'exprimait en latin. « *Gloria in excelsis deo, alleluia, et in terra pax hominibus bonae voluntatis !* »

C'était la première fois que dans notre ville les pénitents priaient à ciel ouvert, sur les places et dans les rues. Je croyais la pratique propre aux hindous, leur religion emprunte à l'animisme dix fois millénaire, la nature est son temple et ses fidèles vont nus dans le vent, sans autre guide que la marche du soleil et du temps. Helmut me dit que les musulmans font pareil dans leur banlieue mais il pense que c'est parce qu'il n'y a pas assez de mosquées à leur disposition, dix à peine, il en manquerait plusieurs centaines, selon des voies autorisées.

Stein et son groupe ont profité de ce moment de lévitation pour s'esbigner. Rien n'effraie plus un menteur professionnel que la séance finale de questions publiques. Le jour même, le *Gemeinderat* fit afficher une note par laquelle il annonçait que les listes des partants seraient établies par tirage au sort à partir du fichier électoral, opéré par ordinateur, sous la surveillance d'un huissier de justice pour éviter fraudes et contestations. Il n'y aurait pas de sélection pour la banlieue et les campagnes environnantes, n'étant pas nombreux leurs habitants embarqueraient tous dans un prochain convoi, ce qui permettrait d'offrir un certain confort aux personnes âgées, aux handicapés et aux malades. Pourquoi n'est-il pas précisé qu'ils auront à éteindre la lumière, laquelle par ailleurs n'est plus qu'un vieux souvenir dans maints quartiers, les leurs notamment ? Ne le savent-ils pas, les paysans n'abandonnent jamais leurs bêtes, il faudrait songer à atteler au convoi quelques wagons à bestiaux.

En dernier point, il est spécifié que les listes ne seront rendues publiques par affichage que lorsque le train correspondant sera entré en gare d'Erlingen, et ce pour empêcher qu'un trafic ne s'organise en amont et que les heureux élus ne soient l'objet de sollicitations malvenues. Le jour J, ils porteront un brassard jaune pour rejoindre la gare, les policiers les reconnaîtront et sauront les protéger.

J'ai écouté l'enregistrement d'Helmut, encore et encore, visionné le film, encore et encore. Tout est faux mais dit avec les meilleurs accents de la vérité citoyenne. J'avais besoin de me pincer pour réaliser l'ampleur de la catastrophe qui nous atteignait et ce qu'il nous était demandé de faire : décider qui serait sauvé et qui attendrait de l'être, autrement dit qui devait vivre et qui devait mourir par la volonté aléatoire de l'ordinateur. Mais l'affaire dit d'autres choses encore, également possibles : que la lettre du *Ministerpräsident* est un faux imaginé par le *Bürgermeister* destiné à calmer la situation et prévenir la révolte, ce qui est bien dans l'esprit mesquin de ce misérable *Gemeinderat*, ça dit aussi que le *Ministerpräsident* entretient la fiction du train pour la même raison, faire baisser la tension et offrir aux gens un dernier rêve sur terre, et ça dit que les habitants d'Erlingen veulent plus que tout croire parce que croire est ce qui rend supportable la perspective de la mort. N'est-ce pas ce qui ressortait de l'histoire du *De tribus impostoribus* ? Tout est alibi, tout est fiction, tout est accessoire. Moïse, Jésus, Mahomet, simples têtes d'affiche de la tragédie humaine. Mais comment le dire aux gens, croire en la vie, en la justice, en la chance n'est pas la meilleure chose à faire, rien n'est plus blessant, plus lourd, plus décevant à porter que la vie, rien n'est plus factice que la justice, rien n'est plus trompeur que la chance, ce sont de vaines attentes qui entraînent désillusions, injustices et ruines. *Que cherchent-ils au Ciel, tous ces aveugles ?* À quoi s'accrocheraient-ils s'ils apprenaient là, pendant qu'ils sont à genoux, que la mort par arrachage du foie est peut-être revenue à la mode et que c'est sur eux qu'elle sera perfectionnée ? Car enfin il n'y a pas que la mort, il faut aussi considérer la façon de mourir et avant cela la dureté de l'attente et les méchancetés renouvelées des geôliers et des bourreaux qui s'impatientent d'officier. Mourir est bien le plus facile.

Hannah chérie, te rends-tu compte de ce qui nous arrive ? Que ne donnerais-je pour savoir ce qui se passe chez vous. Êtes-vous arrivés à ce niveau de folie et de honte ? Je comprends que les gens se soient agenouillés pour prier, c'est un réflexe provoqué par le puissant magnétisme de notre majestueuse cathédrale, mais à part se mettre un sparadrap sur l'âme, ça rime à quoi, le savent-ils, se le demandent-ils ? C'est malsain de remettre son destin et celui de sa famille, dans un flot de paroles en l'air, à un destinataire inconnu à son adresse. Non vraiment, ce n'est pas sain, l'homme n'a que lui-même pour fondement et que l'action pour se réaliser, quand il prie il n'est rien, il se nie, se renie, se déresponsabilise, se soumet en fin de compte. Crois-tu ma chère enfant qu'on puisse réfuter cela ? Crois-tu qu'un Dieu serve à cela, recevoir nos prières, entendre nos jérémiades, endurer nos crises de foi ? Qui a besoin de ça ? Ce ne sont que postillons, grommellements fatigants, sûrement très nauséabonds pour un nez divin. On devrait interdire ces choses, Dieu n'a pas besoin de nous et nous n'avons pas besoin de lui.

Je connais ces gens, je les ai fabriqués, sortis du néant où ils pataugeaient, je suis convaincue que le *Gemeinderat* a arrêté son plan et qu'il veut seulement donner l'impression d'avoir consulté le peuple et d'avoir obtenu son accord, ils n'ont que ce mot à la bouche, *das Volk, das Volk, das Volk*, comme si le peuple était un animal sacré, bon à sacrifier.

Mais au-delà, cette histoire de trains bondés de gens effrayés me met mal à l'aise, j'ai comme de vieilles aigreurs qui me remontent à la gorge. Où les emmènera-t-on, dans quels camps seront-ils entassés, de quoi vivront-ils ? Je préfère mourir plutôt que prendre ce train.

Je t'embrasse Hannah chérie. Tu es mon bonheur et mon espoir.

ROMAN

note n° 3

Révolte des jeunes
et réunion des domestiques

La chose a été dûment observée, une vie souterraine s'est organisée à Erlingen et déborderait sur sa banlieue et les fermes de l'arrière-pays.

Merveilleuse nouvelle. L'air redevenait piquant.

Par son héroïque cousin (dont j'ignore toujours le nom et que je voudrais un jour médailler et pensionner), Helmut a appris qu'un noyau de résistance s'était formé, enrôlant des jeunes gens de toutes conditions, encore peu nombreux mais décidés à s'opposer à la chute d'Erlingen devant l'envahisseur et à son abandon, décidé par le *Landesregierung* et son *Ministerpräsident* et mis en œuvre par notre valeureux *Gemeinderat*.

Reprenant en bloc les termes d'une lettre anonyme amicale déposée dans la boîte aux lettres du *Kommissariat*, le rapport du brigadier-chef Josef Moritz, adressé sous le sceau du secret au *Bürgermeister*, révèle qu'une bande d'excités se réunissait tantôt dans la librairie Le glaive et la plume, sise dans la vieille ville, au dos de la cathédrale, dont le propriétaire, le sieur Fuchs, un révolutionnaire de l'antiquité, est connu de tous les services de police du monde libre car ce qu'il vend en son échoppe et par correspondance, ce ne sont pas des livres sains mais des bombes à retardement avec leur mode d'emploi (c'est par lui que j'ai acquis l'ouvrage sur le *De tribus impostoribus*, cause de tant et tant d'anciens malheurs dans le monde alors qu'il n'existe même pas), tantôt dans un parc à ferraille libre-service, situé à la sortie nord de la ville, où les pauvres viennent pour quelques nouveaux sous réparer leurs bagnoles et leurs bécanes en cannibalisant les épaves du parc, dont le propriétaire, un anar italien nommé Guido Bartoldi, est connu des services de police de toute l'Europe. Le trait d'union entre eux c'est leur religion, la Grande Révolution Libertaire Européenne canal historique III, et c'est Rosa, alias l'Immaculée Rosa, sœur du bouquiniste et compagne du ferrailleur, et surtout tête pensante de la triade, qui n'a jamais eu qu'un rêve dans la vie, être le cauchemar des banquiers mondialistes et de leurs laquais du gouvernement. L'ardente et belle pasionaria qu'elle fut s'est métamorphosée au fil du temps en un truc oblong ressemblant à un foie gras géant avec deux petits yeux venimeux et une voix acide qui déchire les nerfs. Le rapport signale qu'elle publie chaque année le même livre depuis trois décennies au moins, un recueil de slogans guerriers enrichis d'anathèmes nouveaux, rassemblés sous le même immuable titre, *Les versets anarchistes*, et de fait le livre est sacré pour les fidèles de la cause anar canal III. Il descendrait du ciel comme le Coran des mahométans, d'où le surnom de l'Immaculée Rosa.

Le vieux trio a eu ses heures de gloire, c'était le western matin et soir, genre Bonnie and Clyde, ils ont eu les faveurs des médias, les applaudissements des foules et la vénération des apprentis révolutionnaires de par le monde. Ils s'en sortaient toujours, tant les uns et les autres avaient besoin d'eux, pour faire la une, pour occuper les esprits durant les élections, pour repérer les nouveaux venus sur le terrain de la révolution qui à peine éclos venaient solliciter leur bénédiction. Le reste du temps, ils s'évanouissaient dans la nature, du côté de Moscou, d'Alger ou de La Havane, pour se refaire l'aura de mystère sans laquelle un révolutionnaire est un petit-bourgeois mortifiant comme les autres. Quand ils revenaient aux affaires, c'était toujours par des opérations d'éclat dont ils avaient le secret, qui enchantaient le public et n'étaient pas pour déplaire à l'institution, elles redonnaient vie aux limiers et mettaient de la chaleur dans les guerres partisanes. Ils n'ont été vaincus que par l'âge, les rhumatismes ne pardonnent pas, ils les attendaient au tournant. Imprévoyants qu'ils étaient, ils n'avaient préparé aucune relève et les voilà intestats, condamnés à finir dans la froidure de la solitude. Et c'est bien qu'il en soit ainsi, ne serait-ce que pour régénérer le jardin des idées ; et parce que les révolutions n'ont pas non plus à survivre à ceux qui les sèment, que chacun prenne ses graines avec lui dans la tombe.

L'envahisseur aura servi à ça, leur ouvrir un nouveau crédit de vie. Hier, ils se battaient pour détruire la société et voilà que la nouvelle donne les invite à s'investir dans sa défense. C'est autour du trio qu'est né le FSE, le Front du Salut d'Erlingen, le groupuscule a trouvé chez ces jeunes en colère la troupe dont il a toujours rêvé pour faire la vraie guerre, et les jeunes révoltés ont trouvé chez lui le discours qui rend intelligent et transforme la colère viscérale en violence révolutionnaire. On ne peut en effet faire la guerre que si l'on a un ennemi formellement constitué et un motif bien construit pour le combattre et espérer le vaincre, il faut aussi des troupes prêtes à mourir sur ordre. Le hic est là, le monde policé auquel nous appartenons n'a pas d'ennemi, pas de vraie religion à défendre, pas de cause sacrée à invoquer au lever et au coucher du jour, pas de rituel d'initiation, ni de héros à sacrifier, de martyrs à honorer, ni simplement de force dans le poignet pour faire sonner le tocsin et de fermeté combative dans la voix pour appeler à l'honneur, c'est de ça qu'il meurt, d'absence de vie dans les gènes. Nous avons oublié ce qu'au cours des millénaires nous avons investi d'imaginaire dans le sang, pour vivre, grandir, aimer, transmettre, et au bout mourir avec le bonheur d'avoir accompli un destin.

Affaire à suivre : des jeunots qui décident de se battre est en soi un grand espoir, la société montre par là qu'elle croit en son avenir. Mais bon il y a jeunes et jeunes, ceux-là sont approximatifs, il faut les aider dans ce qu'ils pourraient accidentellement faire de bien et les contrarier intelligemment dans ce qu'ils vont sûrement faire de mal, et, en tout état de cause, agir pour qu'ils ne gagnent jamais, ils se prendraient pour des durs envoyés par Dieu, et qu'ils ne perdent jamais, ils désespéreraient et mettraient le feu à la baraque, bref, le fer doit rester dans le feu à la bonne température, jusqu'à ce qu'ils vieillissent et refroidissent des membres.

Avant tout, j'ai chargé Helmut de me ramener un de ces spécimens, il sera mon cheval de Troie, j'en ferai un chef charismatique, j'investirai, on le formera à l'art de la rhétorique, on l'entraînera dans ta salle olympique, ma petite Hannah, on le nourrira, j'éveillerai son esprit à trois idées qu'il voudra coûte que coûte, si je sais bien le remonter, transmettre à ses coreligionnaires, ils en feront leur philosophie et leur programme :
Un, focaliser la lutte contre le *Gemeinderat*, il revient à ce

machin de défendre sa ville et ses habitants, pas d'organiser des tirages au sort et des déportations massives.

Deux, dissuader les jeunes de migrer par-delà les frontières, ils doivent défendre leur pays, ils l'ont reçu libre de leurs parents, qu'ils le remettent libre à leurs enfants. Ceux qui partent seront déchus de leur honneur et leurs biens saisis, ils vivront dans la honte, la tête basse et la queue entre les pattes. Les frontières seront gardées pour les empêcher de revenir au cas où leur fuite tournerait court. Pas d'excuses en la matière, pas de pardon.

Trois, tout faire pour que la vie reprenne rapidement son cours, c'est l'antidote du poison de la peur et du défaitisme. Tout faire vite pour éviter l'hésitation et la chute, j'ai appris et expérimenté cela à la tête de l'empire Von Ebert.

Je ne leur dirai pas le point quatre : une fois la mission accomplie, on se débarrassera d'eux, il n'y a rien de pire qu'un révolutionnaire qui croit avoir réussi par lui-même, alors que la réussite est celle du programme et du planificateur. Il serait trop long de leur expliquer que la révolution n'a que ces buts : 1) *tout changer pour que rien ne change* ; 2) *purger la société de ces tentations révolutionnaires* ; 3) *remettre les gens au travail dans le strict respect des traditions.*

Erlingen doit rester Erlingen, le reste est de la philo.

Tout cela représente du travail en perspective. Faire la révolution est de l'art, la faire faire est un défi supérieur, l'inscrire dans le mouvement perpétuel de la régénération du monde est le Graal inaccessible. Je crois que j'excellais dans ce jeu quand je dirigeais l'empire Von Ebert, aujourd'hui, demain et à jamais il vivra de lui-même sans rien devoir à quiconque.

*

Je ne m'attendais pas à celle-là, Magda est venue me dire que les domestiques avaient constitué une délégation qui souhaiterait me rencontrer. Voilà qui est nouveau, et intéressant, je saurai déjà combien la maison en compte, je me demandais si les clandestins et les resquilleurs n'étaient pas plus nombreux que les travailleurs en situation légale. Depuis que je les ai autorisés à s'installer dans la maison, par esprit de responsabilité, de culpabilité aussi peut-être, et par souci de sécurité pour eux, j'ai la nette impression que leur nombre a vertigineusement grimpé, je ne peux pas croire qu'ils se déplaceraient autant s'ils en étaient restés à l'effectif initial.

J'ai bondi.

« Pas de délégation chez moi, non mais quoi encore, on n'est pas dans une usine avec des syndicats qui croient au père Noël. Demande-leur de tous venir demain matin à dix heures dans le solarium olympique d'Hannah et quand je dis tous, c'est tous, y compris les indus occupants, et je te prie de vérifier qu'il n'en reste pas de cachés dans les placards, voilà mes ordres... Va maintenant, donne-moi mes pilules bleues et envoie-moi Helmut s'il est revenu de sa mission. »

*

Bon, voilà un point éclairci, au pif l'effectif ne dépassait pas la quarantaine. C'est honnête, mon activité n'a rien à voir avec le train de vie qui était le mien quand je tenais le gouvernail de l'empire Von Ebert, la maison vivait l'orage jour et nuit comme la Bourse de New York ce fameux mardi 29 octobre 1929, mais nous on se démenait comme des enragés pour gagner, et on gagnait à tous les coups, contre la nature et ses caprices, contre les populations et leurs soubresauts, contre les micmacs des géants du business, contre les gouvernements et leurs bureaucrates, contre Dieu et ses diables, qu'il pleuve des chiens ou des chats, le mot perte ne concernait que la comptabilité qui ne s'en souvenait d'ailleurs qu'au moment des déclarations fiscales. Là c'est le régime survie, de la petite domesticité pour servir une vieille bourgeoise sans appétit ni coquetterie et sérieusement handicapée de la hanche.

Tout ce monde se tenait debout dans le gymnase, sur deux rangs bien alignés, les vieux devant, les demoiselles derrière. À les voir ainsi penauds, on n'aurait pas cru qu'ils avaient des choses à dire, ni même qu'ils pourraient avoir songé à demander quoi que ce soit. La conclusion était qu'il y avait péril en la demeure et que l'un d'eux a été désigné par les autres pour se jeter à l'eau.

« Qui veut parler, où est le ou la plénipotentiaire ? »

Ce n'est pas le vieil Anton qui s'est avancé, ni la rondelette Anya qui aime se mettre en avant et sourire niaisement, mais une jeunette que je ne connaissais ni d'Ève ni d'Adam, une petite frisée à lunettes et jupe droite à mi-mollet qui avait des airs entre doctorante dans une université presbytérienne et soubrette de comédie de boulevard.

« *Moi, madame* », dit-elle d'une voix brisée par l'émotion.

« Ah voyez-vous ça, et comment vous appelez-vous, chère inconnue ? »

« *Julia, madame.* »

« Julia… et quelle est votre fonction dans cette immense caserne ? »

« *Je classe votre courrier, madame.* »

« C'est tout ? »

« *Non, madame, après que vous l'avez lu, je l'enregistre et je le verse dans les archives privées ou dans les archives du groupe Von Ebert.* »

« Oui, c'est bien ce qu'il faut faire, ne pas mélanger les torchons et les serviettes… et j'en reçois beaucoup, du courrier, maintenant que la poste a fait faillite, que la guerre fait rage et qu'Internet est aux abonnés absents. »

« *Euh…* »

« Bien, Julia, je comprends que vous ayez été désignée pour parler, je vous écoute. »

…

Ses collègues avaient l'air de prier pour elle, qu'elle arrive à tout dire avant de s'évanouir. Je l'ai trop malmenée, la pauvrette, elle a perdu le souffle.

« Oui, je vous écoute. »

« *Voilà madame, mes collègues et moi vous remercions beaucoup de nous recevoir et de nous écouter…* »

« Au fait, Julia, au fait, la vie n'est pas si longue. »

« *Oui… pardon madame… nous avons appris par des amis qui ont écouté le discours du Bürgermeister à la Domplatz que les habitants de la banlieue et de la campagne ne seront pas évacués par le train… ce qui veut dire que nous allons mourir ici, nous habitons tous la banlieue ou la campagne.* »

« Ce n'est pas ce qui a été dit, il n'y aura pas de tirage au sort pour eux puisqu'ils pourront tous être embarqués dans un troisième convoi… compris ? »

« *Oui, madame, mais il n'y a pas de carburant pour ce train, il ne pourra ni venir ni partir… n'est-ce pas ?* »

« Ce... n'est pas faux mais évidemment qu'il y aura du carburant... on en trouvera, il faut dénicher les spéculateurs qui le stockent et les fusiller... on ne peut pas vous abandonner... Compris ?... COMPRIS ? »

« *Oui, madame... mais on s'inquiète, nous n'avons personne à qui parler... pour nous défendre.* »

« Bon, assez de bla-bla, si les autres partent vous partirez aussi et s'ils partent sans nous, nous leur ferons un procès et nous le gagnerons... mais fichtre de fichtre il y a mieux que partir, dix mille fois mieux, c'est rester, ici c'est chez nous, personne ne pourra nous chasser et je vous jure que les autres ne partiront pas davantage, ils vont se réveiller, des jeunes pas particulièrement brillants l'ont fait, les autres vont vite comprendre que s'ils partent d'Erlingen, ils devront ensuite partir de Kohlindorf et demain de Berlin, et après-demain de New York et dans six mois de la terre et après du système solaire. L'ennemi a des ambitions à l'échelle de l'univers. Ne me cassez plus la tête avec ça, vous n'avez pas encore compris que nous sommes dans une fiction, un roman, la réalité ne se laisse pas abuser comme ça. Compris ?... Nous restons et nous allons nous battre contre ceux qui veulent nous chasser et ceux qui préfèrent capituler... Nous ferons mieux, le train c'est pour eux, c'est nous qui allons les évacuer d'ici, que dis-je, de la terre... de la Voie lactée... allez, retournez à vos postes et redressez-vous, que diable... le premier ou la première que je vois trembler je le licencie sur-le-champ, qu'il soit syndiqué, travailleur libre ou clandestin... pas de défaitisme chez moi !... et pour vous obliger à vous battre, je vais vous donner cette propriété en pleine propriété que vous pourrez diviser et habiter après ma mort... chacun aura son petit palais à lui, l'intérêt et l'avarice vont vite vous changer d'angle de vue... vous allez vous battre, croyez-moi bien, je vais de ce pas convoquer mon notaire Georg Müller avant qu'il ne fuie par le premier train, j'imagine, puisqu'il est membre du *Gemeinderat* et qu'à ce titre il sait comment on s'avantage dans un tirage au sort réalisé électroniquement sous le contrôle d'un huissier de justice de ses amis. Allez oust, au travail, et je ne veux plus vous voir circuler dans les couloirs ou vous entendre papoter dans les escaliers, à moins de deux cents mètres de mes appartements ! »

Ouf, ça m'a fait du bien ! Ce n'est pas une révolution qu'il faut faire, ou faire faire, c'est le monde à refaire... si moi, une descendante de ce bandit d'Ernst Von Ebert, baron par corruption, qui a réussi à inventer un empire planétaire indestructible, je n'y arrive pas, c'est que vraiment les Von Ebert et leurs semblables sont devenus de vulgaires bourgeois. Amasser des biens et se nourrir de dividendes est le chemin du déshonneur et de la ruine, non je n'aime pas ce pain, je veux continuer à croire que les défenseurs du monde sont ceux qui courent l'aventur. et parient sur l'impossible.

Ernst était un bandit mais il avait une philosophie qui faisait de lui un grand et il l'a toujours mise en application : « *Il ne s'agit pas de vivre comme si la vie était un capital à dépenser et à faire fructifier, la vie il faut l'inventer et s'émerveiller de la voir grandir et s'agiter dans tous les sens.* »

Et il ajoutait (mais ses biographes lui ont tant prêté qu'ils sont arrivés à nous faire oublier qu'il était d'abord un grand brigand, pied-bot et bègue par-dessus le marché) : « *Même la mort doit être regardée positivement, c'est encore la vie, elle ne fait rien de plus que nous, quand elle nous aura tous achevés, elle prendra sa retraite.* »

Ce soir j'ai dormi comme une marmotte, ma hanche m'a offert un répit (les pilules bleues s'avèrent meilleures que les roses), j'ai un plan pour le gang de la Rosa and Co qui va mettre le feu à la ville et j'ai mis mes domestiques en ordre de bataille. D'avoir seulement parlé de résistance nous a mis sur la voie de la victoire et de l'honneur. Mourir après ça est une anecdote agréable à raconter.

*Chapitre additif (mais où le mettre, je n'arrive pas à situer
la séquence dans le temps, il y a eu rupture quelque part).*

On ne sait pas tout de sa vie

J'aurais dû me réveiller et prendre des notes, le rêve, mais
était-ce un rêve, n'avait rien de naturel, je me le répétais
pendant qu'il se déroulait en boucle dans ma tête.
Les images ont disparu dans le limbe du jour, il m'est
resté des impressions, un brouillard oppressant, des rumeurs
fantomatiques.
La veille, j'avais reçu cet imbécile de Jürgen Stein, je
l'avais convoqué par la voie express, c'est-à-dire un billet
remis par le dynamique Helmut, je devais lui frotter les
oreilles, il était en dessous de tout. Je le sommais de se comporter en homme, en commandant en chef, et d'organiser
la résistance. Il me répondait par des jérémiades.
« *Ce n'est pas évident, chère amie... ce n'est pas
évident... pas évident du tout...* »
« Qu'est-ce qui n'est pas évident, allez-vous me le dire à
la fin ou dois-je vous arracher les mots ? »
« *Erlingen est une ville de rentiers... de grandes familles...
la vieille noblesse... une gentille principauté... quels moyens
de défense avons-nous ?... notre police excelle dans les chiens
écrasés, certes... les vagabonds aussi... bla-bla-bla... elle les
reconduit aux portes de la ville dans la direction de Mörlin-*

gen, mais ils reviennent avec elle en discutant de la pluie et du beau temps… les banlieusards aussi… bla-bla-bla… ils viennent traîner en ville et lécher avec convoitise nos belles vitrines… elle les surveille d'un œil sévère, on ne sait jamais avec eux… parfois ils la baladent de place en place pendant que leurs copains font des choses ailleurs… les jeunes de nos chères grandes familles aussi… bla-bla-bla… mais toujours avec tact… ils s'amusent le samedi soir sans trop voir qu'ils font trembler la ville avec leurs bolides… ils s'attaquent aux chats… les policiers leur expliquent… ça terrifie les vieilles bonnes qui rentrent tard du travail… leurs mamans téléphonent sans cesse au brigadier-chef et m'appellent aussi… je les comprends, elles tremblent pour leurs chérubins… »

« Je vous parle de résistance, qui est la première affaire des citoyens, et vous, vous me la baillez belle avec la gentille police, les chérubins, les saintes évidences… »

Comment ne l'ai-je pas étranglé ? Ah elle est belle la vie avec des mauviettes pareilles !

À force d'y penser tout au long de la matinée, une éclaircie s'est produite, des images ont surgi, floues, fugitives. Au cours de la sieste, un petit film s'était formé dans ma tête, décousu, insignifiant. Ma hanche me torturait, mais pas seulement, mon corps entier hurlait à la mort, je crois que le supplice a été le déclencheur de ce rêve… ce cauchemar. Dans le film, je voyais… un train… un bruit assourdissant dans un tunnel… puis des flashs… des images qui explosent, tourbillonnent dans un scintillement intense… un kaléidoscope… j'entends une sirène qui me déchire les tympans… des… des gens qui se penchent sur… horreur, sur moi !… puis des extraterrestres avec des yeux globuleux me dévisagent, me tripotent, me tâtent, me piquent…

plongeon dans le noir... encore du noir, tout est noir...
des odeurs horribles, urticantes... éternuer m'arrache des
râles de mort... la lumière revient, forte, vive, me déchire
la rétine... Silence... Encore le noir... plus noir... des
ombres passent... des chuchotements... des pas qui vont,
qui viennent, qui martèlent le sol... dans le lointain, des
hurlements de sirène... qui se rapprochent... c'est... oui,
l'effet Doppler... ça me revient... dans un éclair des visages
surgissent... deux personnes... ai-je bien entendu ?... elles
ont des noms... et un certain âge, Maria et Giuseppe et une
autre très agitée... une jeune... Léa... des étrangers... qui
sont-ils ?... des photos de choses familières... lointaines...
le film s'arrête... le noir revient, s'éternise... tout s'arrête...
puis le film reprend à l'envers ou selon un montage dif-
férent... avec d'autres images... des gens parlent... j'entends des bribes de phrases... « *C'est la fin... la guerre...* »
Quelqu'un s'esclaffe... un rire moqueur, léger... intelligent,
voilà... « *La guerre !... waouh... la guerre des gangs, des
voyous, c'est tout !* »... puis défilent de nouvelles images...
on danse, on chante... des pétards... une lumière au bout
du tunnel... une voix m'appelle sans dire mon nom... ou
alors elle s'adresse à quelqu'un d'autre... que je ne connais
pas... il semble que je n'ai pas de nom, n'en ai jamais eu...

Ce qui m'angoissait c'est que dans mon rêve j'avais la
parfaite conscience d'être dans le réel... oui je le savais,
dans nos rêves la conscience est toujours là, dans un coin,
veillant au grain, pour empêcher le naufrage dans la mort,
pour nous rappeler que nous sommes dans la fiction, pas
dans le réel, elle répète : « *Tu es bien dans le rêve, ne crains
rien... si tu veux te réveiller compte jusqu'à trois et claque
des doigts.* » C'est affreux, quelque chose tourne en rond

en moi, le réel et le rêve n'appartiennent pas à la même personne… comment savoir qui vit dans le rêve de l'autre et quel réel est à l'une et à l'autre…

Je m'entends gémir… des appels au secours… je me débats… une force inconnue m'étreint… *Léa, où es-tu, viens me sortir de là… Maria, Giuseppe… restez avec moi, tenez-moi la main… dites-leur…*

On ne devrait pas faire ce genre de rêve. Ce sont des annonces de mort… des messages de l'au-delà.

Je réagis… je suis dans un sombre mystère, je me sens prisonnière d'un nœud spatio-temporel comme on dit dans la SF. Comment peut-on être mort et écrire qu'on est en train de mourir ? C'est quoi, deux événements indépendants l'un de l'autre qui se sont télescopés et mêlés ?… C'est horrible, ma tête va éclater.

Note de lecture n° 2

« *Que la terre soit légère sur ta tombe* »

J'ai relu *Les immortels d'Agapia* du Roumain Constantin Virgil Gheorghiu. Je l'avais lu quand nous habitions Genève et que j'étudiais la romanistique à l'UNIGE. J'avais bien aimé l'histoire, cet assassinat bizarre commis dans une ville plombée par la neige, où de mémoire d'homme il n'y a jamais eu de crime, mais j'avoue n'avoir pas vu le fond de l'affaire. Il faut dire que j'avais du mal à m'investir dans les réflexions longues. Moi, c'était ça, tout de suite ou jamais. Karl prenait la direction du groupe Von Ebert, à contrecœur, et subissait d'énormes pressions qui naturellement m'atteignaient d'autant que j'essayais de leur faire barrage, le professeur Karl Von Ebert, mon gentil petit mari, manquait notoirement d'assurance, les bandits de la famille en profitaient, même les manchots et les triples idiots voulaient des postes prestigieux, des sinécures, des milliards, des mariages princiers, leurs pensions de chômeurs de luxe ne leur suffisaient pas, alors que, pour chacun d'eux, elles équivalaient au budget des ministères de la Nourriture et de l'Eau potable de trois pays africains.

Gheorghiu semble avoir été tracassé par une étrange question, celle-ci : *Le crime a-t-il une histoire ?* Autrement dit, un crime peut-il se produire là où il n'y en a jamais eu auparavant ? Un arbre pousserait-il subitement sur une planète où l'arbre est inconnu ? Si cela advenait, serait-il de la génération spontanée ? L'affaire relèverait alors de quel tribunal, celui des hommes, celui de la biologie ? Nous n'avons jamais vu de crimes chez les animaux, il n'y en a pas dans les temps présents et tout confirme que le futur sera aussi merveilleusement innocent, jamais un animal ne commettra de crime, il n'est pas dans ses gènes, mais s'il s'en produisait, par génération spontanée, ou telle autre façon, nous serions bien embêtés, nous n'aurions aucune référence pour le comprendre et comprendre le monde nouveau qui surgirait de cette aberration. Une chose est certaine, nous serions vite exterminés, les animaux étant plus nombreux, plus forts, plus cohérents, plus courageux, plus rusés, plus cruels que nous.

Oui se pose la question du premier crime, celui qui dans un lieu donné commence l'histoire du crime : pourquoi s'est-il produit ? Qui saurait le qualifier de crime puisque inconnu jusque-là ? On peut lui donner la définition que l'on veut. Un enfant qui tue un enfant jamais ne dira « *j'ai tué un enfant* », il dira « *dehors il y a un enfant qui ne respire plus* », il ne peut concevoir de lien entre ceci et cela. Deux astres qui se percutent dans le ciel, c'est de la balistique, quel ignorant songerait à un acte de guerre, à un crime prémédité ? Comment comprendre que Caïn ait tué Abel, son frère, en cette terre de Dieu où l'idée du crime était inconnue, donc inconcevable ? La Bible nous a raconté une histoire incroyable, avant le crime il n'y a pas de crime et le crime ex nihilo n'est pas un crime. Depuis nous connaissons le crime et nous savons combien il déplaît à Dieu qui pourtant l'a créé pour pouvoir l'interdire.

Il y a plus déroutant. Dans cette bonne ville d'Agapia, où jamais le crime n'a mis les pieds, il s'en produit un quelques jours seulement après l'arrivée d'un juge de paix, Cosma Damian, nommé à Agapia où jamais il n'y a eu de juge, le poste n'existait même pas, il n'y avait pas de raison. Pas de crime, pas de juge, c'est logique. L'observateur avisé ne peut pas ne pas faire le lien : un crime a été commis au moment où un juge, pour la première fois de l'histoire de la ville, arrive sur les lieux et se prépare à vivre une vie oisive jusqu'à ce que l'administration centrale décide de le muter sous d'autres cieux où le crime pourrait le cas échéant être abondant et exiger des mobilisations harassantes. Les habitants d'Agapia se sont demandé ce qu'un jeune juge frais émoulu de l'école, qui donc n'avait jamais été confronté au crime, venait faire dans leur ville où le crime n'existe pas. Le crime est arrivé dans la foulée du juge et le juge qui n'a jamais été confronté à un crime commence sa carrière sur un crime dans une ville où il n'y a jamais eu de crime. C'est ça l'histoire, elle va poser bien des questions au sieur Gheorghiu.

Un matin, le jeune Anton, fils de la puissante famille des Tuniade, est retrouvé assassiné. Les gens qui ont noté que le crime est arrivé avec le juge n'ont pas tardé à penser que la justice avait besoin du crime pour exister et, inversement, que le crime n'existe et n'est reconnu comme tel que par la présence dans les lieux de la justice en tant qu'institution et en tant que philosophie. Et du coup, terrible paradoxe, le coupable est oublié, le crime est la conséquence mystérieuse de la présence d'un juge dans un lieu où ni l'un ni l'autre n'avaient à être. Le couple œuf-poule serait-il un modèle universel ? En tout cas, ils sont inséparables pour l'éternité.

Gheorghiu se rendait-il compte de ce qu'il donnait à entendre avec son histoire ? A-t-il été dans une autre vie victime d'un crime insensé, criminel malgré lui, juge porte-malheur, témoin d'une sale affaire ?

Ah, il n'a pas fait dans la simplicité. Il a imaginé le pire, il a postulé que la population, qui ne connaît point le crime, nierait qu'il y ait eu crime et qu'elle se liguerait pour innocenter le criminel et amener le juge à classer l'affaire. Pas de criminel, pas de crime, pas de juge, pas de justice, Agapia restait Agapia et Agapia vient du mot grec *agapê* qui signifie amour, paix, bienheureuse tranquillité. Le mort, on l'oubliera, on dira qu'il est mort de lui-même, qu'il s'est suicidé, et le suicide n'est pas un crime, il est une libération.

La vérité terrible et banale pourrait être celle-ci : à Agapia, il y a toujours eu des crimes mais ils étaient niés, on ne les voyait pas, on avait dressé des murs de silence labyrinthiques et cultivé la sainte habitude d'enterrer le crime en enterrant les morts. Agapia doit rester Agapia, envers et contre tout, la ville de l'amour et de la paix, la ville sans crime et sans criminel, sans juge et, par-delà la justice, le havre des immortels. Et ainsi la vérité et le mensonge, comme l'œuf et la poule, sont inséparables dans l'éternité.

Gheorghiu est un homme sans concession, il ne nous épargne décidément rien. Il nous décrit si bellement Agapia qu'on la croirait située dans le jardin d'Éden, mais non, c'est le contraire, il nous dit qu'elle se trouve en cette région des Carpates orientales en Roumanie, depuis toujours gouvernée par des satrapes de la pire espèce, de la dynastie des Phanariotes, des féodaux violents, cruels, corrompus, prêchant un aryanisme emprunté qui les autorisait à commettre toutes les exactions, dont cependant et étrangement le peuple, depuis toujours soumis à leur pénible tyrannie, n'a qu'une religion, celle de la paix, du bonheur, de la simplicité, qualités qu'il a tirées d'un christianisme archaïque que le bon Christ Jésus lui-même aurait aimé inventer. Ici, le mot révolte n'existe pas, on continue de vivre comme on a toujours vécu, on traverse les gros grains de malheur comme on traverse les tempêtes de neige ou de sable, on rentre la tête dans les épaules et on s'arc-boute. On peut croire que le bonheur est dans la routine et la soumission, un peuple qui se salue par les mots « *Que la terre soit légère sur ta tombe* », au lieu d'un froid « *Bonjour* » ou un « *Salut à toi* » emphatique, est un peuple qui croit en la bonté de l'Au-delà comme dans cette vie il croit en la sainteté de l'amour.

Agapia est un mystère total. Je vois bien une stèle à son entrée avec cette inscription qui ressemblerait au terrible avertissement de Dante :

Toi qui entres ici abandonne
tout espoir de nous comprendre

Pourquoi ai-je tenu à relire ce roman qui m'avait intriguée jadis ? C'était une époque où nous-mêmes, les Von Ebert, étions des satrapes, nous vivions dans l'univers étourdissant et cosmopolite des possédants de ce monde et ne rentrions dans nos fiefs, quelques jours par an, que pour revêtir notre habit ancestral de satrapes de droit divin et goûter aux charmes enivrants de la violence des seigneurs.

Je pensais à cette époque lorsque soudain vint la révélation, je compris pourquoi je voulais relire ce livre : Erlingen était Agapia, une merveilleuse jumelle, germanique qui plus est, donc solide sur ses pieds, rien de roumain ou de bêtement exotique là-dedans, un vrai paradis sur terre, lumineux, propre sur lui, exempt de crimes, sans autre tribunal de justice que la bonne habitude des gens de vivre heureux et sages. Mais le crime s'est révélé à nous, il était en nous, nous le niions, nous étions parfaits et purs, et il nous est aussi arrivé par d'autres qui, tout spécialement, œuvrent au triomphe du crime sur la terre pour complaire à leurs juges, à leurs seigneurs, à leurs saints tutélaires, à leur Dieu, que sais-je, et nous punir de les avoir par nos bonnes manières retardés dans leur délire apocalyptique. Notre paradis n'était pas davantage dans le jardin d'Éden, pas plus qu'Agapia, mais ici dans ce monde, gouverné par des satrapes en chef redoutables, avides et brutaux, de la dynastie des magnats, de la race des Von Ebert, et ceux qui arrivaient pour voler notre force étaient aussi des satrapes assoiffés de sang venant de pays où les petites gens n'ambitionnent que de continuer à vivre des bonheurs tout de tranquille pauvreté et d'humble misère.

Gheorghiu a écrit son livre dans les années soixante. Il était en avance sur son temps et nous, nous étions en retard sur le nôtre, voilà toute l'affaire. Nulle part au monde on ne parle plus de liberté, d'égalité, de fraternité, de respect, d'amour, de plaisir heureux et d'élégance dans la pensée et dans l'acte que dans cette vieille Europe occidentale repue qui a mené toutes les guerres du monde et commis tous les crimes, jusqu'aux plus grands, la déportation de peuples entiers et leur mise en esclavage, et, pour boucler la boucle de l'horreur l'infernale, l'inconcevable et insondable Shoah. Le crime était dans l'œuf et l'œuf était dans la pire des poules.

Nier des crimes pour protéger une famille, un pays, une nation, une religion, un prophète, un dieu et vivre l'air de rien est un autre impardonnable crime, l'examen de conscience est une obligation pour tous. L'envahisseur et colonisateur qui vient ne devrait pas se sentir quitte, nous attendons ses aveux pour ses crimes d'hier, d'aujourd'hui et ceux qu'il projette de commettre dès lors que sa victoire sur l'humanité sera constatée par quelques prodigieux génocides.

Est-ce tout ? Que non pas, il faut encore relire le livre et bien se renseigner pour comprendre la nature de ce vent bizarre incessant, lourd, pénétrant, qui souffle sur la tête des gens dans cette région du monde où torturer de l'autochtone est une tradition partagée par les satrapes et dame Nature. Gheorghiu qui en parle avec des mots étranges nous dit qu'il a pour nom fœhn et aurait des effets délétères. Il naît dans des endroits maudits et se charge d'effluves sataniques et de rumeurs glaçantes en traversant les gorges profondes de la mystérieuse Transylvanie où dit-on le Diable aurait longtemps séjourné, peut-être dans le château du comte Dracula qui domine la région comme un aigle surveille sa vallée. Il suggère que le fœhn serait responsable de tout. Je ne sais pas s'il est possible de comprendre qu'un vent qui transforme les gens en monstres hématophages, en vampires, en satrapes, en criminels, en sorciers, en petits peuples soumis à leurs propres mensonges, à leurs peurs, à leurs indécences, ait pu inventer Agapia.

Non décidément le crime ne peut pas produire des joyaux comme Agapia et Erlingen, du bien il ne sort que du bien et du mal que le mal... sauf si Dieu et les hommes en décident autrement.

Hannah mia,

Il faut que je te dise, le gang de la Rosa and Co est passé
à l'action. Ah ça, tu peux dire qu'il a été efficace, en une
nuit les activistes du Front du Salut d'Erlingen ont plus fait
que notre Erlingen n'en a vu en un siècle, marqué quand
même par deux guerres mondiales inimitables : ils ont tagué
la *Rathaus*, le *Kommissariat*, les *Bänke*, les belles vitrines de
la place Vendôme... je veux dire la place Wilhelm-Friedrich,
et affiché partout des dazibaos bien dans l'esprit de la révolution libertaire universelle. Les citoyens n'en revenaient
pas, ces choses à Erlingen, quand même ! Tout excité, Helmut a couru la ville pour me faire un reportage photo sur
les meilleurs tracts, le service de l'hygiène s'employait déjà
à les arracher. Je lui ai donné ton fameux Leica III de 1936,
un objet de collection rarissime, cadeau de l'oncle Gustav,
pour tes onze ou douze ans. J'étais bouleversée, la résistance
s'était exprimée, l'espoir renaissait. Quels messages a-t-elle
envoyés au peuple ? *Ach so...* seulement ça ! J'étais déçue
mais bon, les révolutionnaires n'ont jamais été très inven-
tifs, si on les écoutait, on passerait nos journées à se balan-

cer des grenades dégoupillées en criant des slogans creux. Pour tout dire, ils ont pioché dans *Les versets anarchistes de l'Immaculée Rosa*. Helmut a eu la bonne idée de passer à la librairie Le glaive et la plume pour m'en acheter un exemplaire. Pour le prix d'un, le gros Oswald, qui soufflait comme un éléphant de mer dans son rocking-chair, lui en a offert dix, bouffés par l'humidité et les mites, preuve que depuis la première édition des *Versets* il s'en est imprimé plus qu'il ne s'en vendait et ne s'en offrait. Le stock encombrait la boutique de la cave au grenier. Le pilon et le poêle sont la solution idéale dans ce cas mais pas pour un livre élevé au rang d'objet sacré, quasi incréé, ce que son titre disait bien, *Le Livre révélateur des Sept Libertés*, et que le sous-titre précisait, *Pour le renouveau du monde par Rosa Fuchs, fondatrice des Anars canal historique III et lumière des peuples en armes*. Ils accepteraient plus facilement un autodafé, les fidèles de ce courant avaient assez le goût du martyre et du spectacle du feu.

J'ai noté les plus appropriés au contexte. « *La révolution, c'est aujourd'hui, demain il est trop tard* » ; « *Stein, tu perds rien à attendre* » ; « *Partir = Trahir* » ; « *Vive la République libre d'Erlingen* » ; « *¡No pasarán¡* » ; « *Envahissons l'envahisseur !* » ; « *La vraie fin, c'est celle du dernier* »...

Ce n'est pas tout, le lendemain, ils ont franchi la ligne rouge : ILS ONT COMMIS UN ATTENTAT ! C'était à la une. Erlingen s'est réveillée groggy, si on peut dire. Un commando a nuitamment investi la gare et déversé plusieurs litres de sang dans l'enceinte et gribouillé sur le panneau d'affichage une profession de foi des plus explicites : « *Ceci est notre sang, nous ne partirons pas sans lui.* »
Horreur et putréfaction, quel sacrifice ont-ils commis ?

Quel innocent ont-ils égorgé ? Ouf, on saura dans la matinée que c'était du sang animal, fourni par un syndicaliste de l'abattoir, équarrisseur qualifié de son état, phalangiste du Front du Salut d'Erlingen. Ça ne rassure qu'à moitié, jouer avec le sang n'est jamais loin de la boucherie. L'indélicat a été vertement sermonné par l'adjoint au maire chargé de l'hygiène et de la qualité de la vie, celui de l'abattage et celui des transports. La ligue de protection des animaux et celle des vegans ont engagé une procédure de référé pour abattre les équarrisseurs, libérer les animaux et fermer l'abattoir.

La cause est entendue, il faut enclencher le processus de rejet de ce satané Front qui à peine né confondait révolution et boucherie. Le but était d'introduire un peu de radicalité dans cet océan de mollesse qu'est Erlingen, pas de détruire la ville par le feu et par le sang. Les prophètes de la Grande Révolution Libertaire Européenne, Rosa, Oswald et Guido, ont-ils ordonné, cautionné le crime, ont-ils été débordés par la nouvelle vague ? Rien de pire que ces vieux révolutionnaires de salon sur le retour, par leur seule existence ils poussent les jeunes à se radicaliser, ils feraient bien d'aller attendre leur mort dans le cimetière des éléphants.

Mais à quelque chose malheur est bon, l'affaire a déclenché une prise de conscience, qui en quelques jours a emporté la ville dans une belle et saine agitation, les gens se sont mis à parler, à se rassembler, à courir les meetings, à former à la chaîne des comités de salut public, d'entraide, de surveillance. Des courageux se sont enhardis à interpeller le *Gemeinderat*, et très vite d'autres, des ambitieux, se sont mis sur les rangs pour lui porter l'estocade : ils réclamaient sa démission, la déchéance de ses membres et des élections anticipées. Mais Stein le misérable, qui ne voyait pas ce qu'il pourrait faire pour contrer l'invisible envahisseur sinon organiser la désertion générale, trouva en lui assez de ressources pour combattre le peuple. Il est allé jusqu'à menacer de lui couper les vivres, déjà rationnées. Le bras de fer était parti pour durer. C'est vrai que les marches, les attroupements, les sit-in, les cavalcades aux quatre coins de la ville qui remplissaient les journées faisaient bouchons et désordres, et empêchaient les chariots de livraison de parvenir à destination. Le pain manquait partout, le mot famine a été prononcé et on a compris que les épidémies allaient suivre. Séquence immuable.

C'est inquiétant comme on passe vite du calme à la tempête, ce sont pourtant des états aux antipodes. Une étincelle et ça explose. En l'occurrence, elle est venue de Stein lui-même, qui avait déclaré à propos de l'attentat de la gare : « *Je ne comprends pas que les citoyens ne dénoncent pas les fauteurs de troubles.* » Tout est parti de cette réflexion théorique, les gens se sont aussitôt élevés contre les fauteurs de troubles et pour eux, le *Bürgermeister* et le *Gemeinderat* étaient de loin les plus pernicieux. Comme quoi, avant de parler il est prudent de s'assurer de ce que les gens vont entendre.

Mais honnêtement, je ne sais que penser moi-même, il m'arrive en rapportant les faits de me dire que rien de cela n'est réel, quelque part il y a un esprit traumatisé qui délire et c'est par moi qu'il s'exprime.

ROMAN

note n° 4

Le cycle des questions
et des métamorphoses a-t-il une fin ?

Ce matin, je me suis réveillée toute patraque et je dirais que le ciel lui-même l'était fichtrement. Quelque chose d'essentiel semblait s'être accompli derrière le pâle rideau du quotidien. Je jurerais que ça avait à voir avec le temps, le temps-durée qui étalonne nos vies, un cycle s'est achevé et un autre commence et j'ai comme l'impression d'avoir été prise dans le siphon et salement barattée. Un jetlag interplanétaire ne me causerait pas pire sensation. L'avant est mort et du venant nous ne voyons pour l'instant que le bout du nez, et non pas les intentions. Sommes-nous le même au terme de la traversée, avons-nous encore une fois subi une métamorphose ? Laquelle ? Quand ? Que faire, rire, pleurer, courir, cacher sa honte dans un coin sombre ? Et quand je dis *nous*, je parle de qui, de moi seule ou de l'humanité entière ?

Des questions si vaseuses à jeun, c'est à dégobiller, tu ne sais pas si tu t'es réveillée vivante et si ça va aller malgré tout, ou si tu te traînes dans le tunnel de la mort. Il y a un moyen de le savoir, si au bout du couloir il y a une lumière vive qui te fascine et t'attire, c'est une preuve de mort irréfutable ; et la douce et aérienne musique que tu entends, c'est ton chant de mort, ô malheureux cygne.

C'est drôle la nature humaine, elle est toute dans l'ambiguïté du pluriel mais se veut une et indivisible. Or, qui ne le sait pas, en chaque chose il y a toujours plus d'hypothèses que de conclusions.

Bon, voici le problème, il est kafkaïen même si Kafka ne l'a jamais posé de cette manière : *Qui de la question et de la métamorphose vient en premier* ? Je parle des questions de fond qui modifient une trajectoire de vie, transforment la personne, elles seules sont capables de bouleverser le cours des choses qui est quand même plus assuré qu'on ne le croit. Je ne reviens pas sur l'œuf et la poule, le problème n'est pas seulement biologique, il a de surcroît un contenu politique, culturel, juridique, judiciaire même, et s'il y a tout ça c'est bien que la religion n'est pas loin, elle est en fait au cœur de tout questionnement. Dans un cas on est responsable de ce qui advient et dans l'autre pas, il y a l'immanence et il y a la transcendance.

La bonne perception serait la suivante : on observe un phénomène, on se pose des questions qui naturellement déclenchent un processus de transformation et fera qu'au bout on dira, je me suis cogné au phénomène, j'en comprends le sens et la portée et je prends le parti de réagir de telle manière. S'agissant par exemple d'un phénomène oppressif, on décidera de se soumettre à la nouvelle loi ou de se dresser contre elle. Dans un cas on se transformera en... disons une souris apeurée, dans l'autre en rebelle sur le pied de guerre. Le destin n'est pas le même. La démarche alternative, plus courante, part du constat qu'on a changé et de là on remonte le temps à la recherche du phénomène qui aurait provoqué cette métamorphose. La myopie moderne qui est aussi contagieuse que la bêtise d'antan empêche de voir que notre cerveau a été envahi à notre insu, que la mutation est achevée et que nous couinons comme des souris de laboratoire en perdition. À ce stade, si la bête remonte le temps pour interroger ses origines, c'est vers sa maman qu'elle ira, son cerveau ne compte pas au-delà de un et jamais en dehors de la famille.

J'illustre mon propos en rappelant l'envahissement d'origine céleste qui court de nos jours et qui a métamorphosé une partie du pays, le gros de la population mondiale selon d'autres allégations. L'envahisseur, qui posséderait l'art du caméléon, sait se confondre avec le paysage mais il sait aussi faire en sorte que le paysage se confonde avec lui, rendant tout repérage impossible. Ainsi de l'islamisme, il provoque une courbure de l'espace-temps, c'est ce phénomène invisible qui nous entraîne vers le fond, pas tant ses discours ennuyeux comme la mort.

L'enfant de la vieille Gorgone qui avait transmis le message au *Gemeinderat* l'avait expliqué, l'envahisseur qu'il décrivait comme un épouvantail broussailleux portant sur la tête un machin épineux avait pris la forme de la forêt dans laquelle il se cachait, mais il avait aussi ajouté que la sylve se confondait avec lui. C'était une indication importante, crénom ! « *Le pauvre gosse était si effrayé qu'il racontait n'importe quoi* », le *Gemeinderat* s'en tint à cette conclusion malgré l'insistance crâne du gamin qui voulait pour preuve que la sylve avait disparu dans la nuit noire en même temps que le croquemitaine, ce qu'au matin chacun pouvait constater sur place : c'est un parking bétonné qu'on trouvera là où s'étendait une forêt bruissant de mystères.

L'enfant avait raison, il faut le reconnaître. Si au réveil on voit partout des pagodes dans son quartier, deux hypothèses sont possibles : les Chinois ont nuitamment pris possession de la place et l'ont décorée à leur goût, sans autorisation ni enquête de commodo et incommodo, OU le lieu est tout simplement un coin de Chine, un Chinatown qui naturellement produit du chinois. Il reste à savoir si vous qui vous interrogez sur la finalité des choses êtes un Chinois natif, un Chinois émigré, un Chinois de papier, un Chinois clandestin, un étranger téléporté en Chine, ou autre chose. Question dépassée en vérité, avec un milliard et demi de Chinois hyper actifs et hyper discrets, la Chine a le droit et le pouvoir d'être partout chez elle dans le monde. La loi des grands nombres le veut ainsi, elle crée de la certitude comme le chaos crée l'ordre.

Ceux qui ont approché l'envahisseur et qui, soudain atteints par un fluide cosmique, ont adopté son genre se sont transformés en caméléons, et voilà que l'environnement se modifie sous leurs pieds, leur donnant l'impression qu'ils marchent sur le monde aussi bien que le divin Jésus marchait sur l'eau.

Et ceux que le fluide a loupés, que deviennent-ils ?

Ah, c'est affreux mon bon monsieur, ils sont appelés à mourir, il n'est rien qui puisse être fait pour eux. Gardez-vous de seulement jeter un œil dans leur direction, ne leur parlez pas, ne les approchez pas, passez vite votre chemin, ils ont une odeur, l'odeur de la différence, si elle colle à vos habits, vous êtes mort, vous serez vite repéré à la prochaine rafle.

Je suis dans cette situation plus que kafkaïenne, je ne sais si je suis vivante ou morte, je ne sais où je suis, qui je suis, quels phénomènes ont joué pour créer ce halo dans lequel une vieille femme, qui pourrait être moi ou pas, se débat depuis je ne sais quand contre je ne sais quoi.

On dirait que je suis une créature d'une époque mythologique que les dieux ont condamnée à vivre des mues intempestives comme ils avaient condamné ce pauvre Sisyphe à rouler ad vitam aeternam son rocher de forçat tel le bousier qui roule sa crotte nourricière. Il a quand même été mieux traité, lui, au cours de son calvaire, il restait lui-même, Sisyphe le Corinthien, fils d'Éole et d'Énarété, et pourquoi pas heureux dans son malheur. Moi, j'erre dans la brume glacée et la douleur, sous une identité et une autre, les deux fallacieuses.

Kafka nous a laissé une question terrible qui m'a prise dans son tourbillon : sous quelle forme sommes-nous vraiment nous-mêmes et qui est ce *nous* qui se métamorphose à tout bout de champ ?

Il faudra que j'y réponde pour reprendre une vie normale, si vie il y avait et si normale elle était.

Et si je suis morte comme je le crois, sous quelle forme fantomatique suis-je revenue et à la fin que signifie tout cela ?

DEUXIÈME PARTIE

LA MÉTAMORPHOSE DE LA RÉALITÉ

*Toi qui entres dans ce nouveau livre,
abandonne tout espoir
de reconnaître la réalité de la fantasmagorie.*

Bonjour maman chérie qui est au ciel, c'est Léa.

Je t'écris de la maison. Il est vingt et une heures, je suis dans la cuisine, assise à ma place derrière notre bonne vieille table familiale, avalant à petites cuillerées une soupe tiédasse et imaginant que tu es là, au haut bout, présidant les agapes de ta petite tribu, les Potier de la Seine-Saint-Denis, le territoire des farouches Neuf-Trois. C'est émouvant tout plein... et déchirant, je suis la dernière Mohicane, je me sens si seule. Comme tu me manques, maman chérie, comme tu me manques et comme je me sens coupable.

Bon, je me lance, voici mon compte-rendu de la semaine et quelques propositions des plus raisonnables.

C'est dit, je ferai comme toi, je ne posterai pas mes lettres ; toi, tu avais trente raisons insurmontables : la Troisième Guerre mondiale, le mystérieux envahisseur qui était aux portes, le rationnement qui bloquait tout, la faillite de la poste, la trahison du *Gemeinderat*, Erlingen prise dans la tempête de neige du siècle, les attentats du gang de la Rosa

and Co, etc. Elles te parviendront par télépathie via l'éther...
et puis voilà, je n'ai plus confiance dans la poste. Je suis passée hier retirer de l'argent sur mon livret PEL... figure-toi
qu'on m'a demandé mon passeport et ma carte d'électeur...
et on m'a posé des questions, tu te rends compte, ils voulaient savoir si j'étais baptisée, si je portais une perruque et
plein de choses comme ça ! Il y a eu des conciliabules, du
charabia derrière le voile et des regards de douaniers sous
la visière. Je n'ai pas compris, je suis née ici quand même, je
ne suis pas un envahisseur, c'est mon quartier, ma banlieue,
notre poste, nos amis, nos voisins, mon argent honnêtement
économisé, je n'ose dire mon pays. Mon accent british les a
peut-être perturbés, je peux le comprendre, c'est plutôt ori-
ginal dans le coin, mais quoi, leur ai-je fait reproche de leurs
intonations baroques, ai-je exigé de voir leurs attestations et
leurs affidavits ? On m'a dit de ne plus revenir, tu te rends
compte ? Pas besoin de me le répéter, j'ai pris mon solde de
tout compte et j'ai secoué la poussière de mes baskets. Mes
trois euros, je les placerai à Kingston upon Thames, où je
crèche, adieu la Seine-Saint-Denis, le cher 9.3 où je suis née !
Étrangère pour étrangère, autant l'être à l'étranger.

Après tes funérailles, j'ai fait un saut à Londres pour
achever un travail qui ne pouvait attendre et obtenir de
mon patron une semaine de congé et me voilà de retour à
la maison. Mon Dieu, ce silence, je n'en ai jamais entendu
de tel. Je le ressentais dans les os, rien ne pourra jamais
remplir notre gentil pavillon d'amour comme notre famille
l'a fait toutes ces années, toi, papa, Bruno, moi et ces charmants petits parents plutôt remuants et exigeants que la vie
nous a donnés, des chiens, Roquet, Rex, Lama, des chats,
Mouche, Grisou, Sultane, sans oublier l'inoubliable Pirate,

le perroquet à la patte de bois, la fierté de Bruno, ramené en contrebande du Guatemala. Une maison sans les siens est une épave au fond de l'océan, le poids du vide pèse lourd sur elle.

Je suis revenue pour mille raisons, chère maman, passer un moment avec toi dans notre sweet home, raviver des souvenirs, faire du rangement, régler des problèmes de paperasse et mettre la maison en vente, et dans le calme des soirées tirer au clair cette incroyable histoire que tu as développée dans ton... notre... je devrais maintenant dire *mon* projet de roman.

Maria et Giuseppe, qui ne me quittent pas, vont m'aider à trier ce que je veux donner à Emmaüs et aux associations du 9.3, et me raconter ce qui s'est passé depuis ton accident. Il y a aussi que ça les soulage de leur cité, elle est en feu ces jours-ci, deux tribus ennemies héréditaires ont rompu la trêve hivernale et ne veulent rien savoir, il faut prendre parti et prêter la main à l'une ou à l'autre, ou s'exiler jusqu'au retour de la paix. Je leur ai proposé de dormir ici, ils me tiendront compagnie et tout tranquillement, en grignotant du saucisson et en buvant du vin, ils me diront, s'ils le savent, l'adret et l'ubac de la montagne de mystère que tu me laisses en héritage. Qui sont Ute Von Ebert et son monde, sa fille Hannah, ses aides de camp Magda et Helmut, où est Erlingen, qui est cet étrange envahisseur qui n'est qu'ombre et rumeur dans le crépuscule ? Voilà trois questions parmi les dix mille qui chahutent dans ma tête.

Je m'en veux de t'avoir négligée ces dernières semaines, je me rends compte qu'elles furent douloureuses pour toi.

Je ne cherche pas à m'excuser mais je ne savais rien, je t'assure, et puis tu as toujours été comme ça, cachottière comme une huître, personne ne détestait autant que toi qu'on vienne lui tenir la main. Ton « *fiche-moi la paix, suis pas grabataire !* » dit comme tu le disais a découragé sans sursis tous les saint-bernard de la planète, ils se sont passé le mot. Je ne sais pas si, vu du ciel, tu te rends compte de la tristesse d'un enfant qui se voit refuser par sa maman le bonheur de la câliner et de lui donner un peu de sa force. Quelle autre façon avons-nous de dire notre amour que câliner et chouchouter ?

Puisque nous avons pris le chemin de l'écriture d'un roman, je vais faire ma partie et ainsi nos lecteurs, si nous en avons, sauront tout. Il n'y a d'histoire de maman que si celle-ci raconte son petit monde, n'est-ce pas, une mère est avant tout une cheffe de tribu. Mais là, maman, tu as frappé fort, tu as fait de nous les maîtres du monde et du monde tu as fait un drame sans fin et sans espoir. L'indécrottable optimiste que je suis devra hisser très haut le côté simple de la vie et du bonheur pour que ton histoire et la mienne forment ensemble une moyenne honnête. Ainsi est la vie, je crois, aussi haut la hissons-nous ou aussi bas la plaçons-nous, elle n'est jamais que banale. « *Ce qui a été, c'est ce qui sera et ce qui s'est fait c'est ce qui se fera, il n'y a rien de nouveau sous le soleil* », disait l'Ecclésiaste.

Je vais moi aussi tout raconter depuis... depuis le début. On verra ce qu'on gardera. Je te ferai des notes de lecture et des textes pleins de bonnes réflexions (ce que tu dis des Anglais par exemple n'est pas faux mais ce n'est pas vrai non plus, je te dirais bien ce qu'il en est si on m'en laisse le temps). Mais bon, nous avons la vie et l'après-vie devant nous, il n'y a pas de raison de vivre comme si la mort nous avait définitivement séparées. Un adieu n'est pas une rupture. La tristesse est une peine mais seulement si on se laisse accaparer par elle. Oublions-la et vivons par la pensée télépathique les jours heureux que la dure réalité nous a refusés. Notre récit sera empreint de cette philosophie, nous ne sommes au fond prisonniers de rien, sinon de nos mauvaises habitudes et l'impatience en est la plus dommageable. Chez les Anglais, j'ai appris le flegme, c'est reposant comme tout, en plus d'être une philosophie profonde.

Si tu es d'accord, chère maman, il est mieux dans notre roman de laisser de côté cette histoire de métamorphoses à répétition, on en parlera incidemment comme d'une hypothèse puisque tu ne dis jamais en quoi nous aurions été transformés. Si maintenant tu parles des idées et des vérités qui vont et viennent avec la météo, souviens-toi quand même qu'il y a sur terre plus de girouettes que de vent pour les mouvoir et d'argent pour les entretenir. Crois-moi bien, Kafka n'est plus si moderne, aujourd'hui on est dans la mondialisation, l'ubérisation généralisée, le brassage à la centrifugeuse, le clonage, le virtuel, la 3D, le numérique, l'interchangeable et l'hyper-flexible, et tout cela ne regarde ni au genre ni à la couleur des objets, c'est la nouvelle religion, elle n'a besoin que d'un prophète astucieux pour achever l'humanité. Quand on raconte une histoire, on doit penser aux lecteurs, maman, ils sont comme ils sont, pas forcément géniaux, ils veulent qu'on leur tienne la main, sinon adieu les oiseaux, ils changent de branche. Autre point : pour le style, il en faut un, pas deux, question d'unité. Ton texte étant écrit, gravé dans le marbre puisque tu n'es plus là pour l'amender, je dois m'appliquer à user du même mode que toi et faire attention à bien nommer les choses pour leur donner vie et sens selon l'acception française courante, que tu sembles privilégier un tantinet, tendance marquée chez les historiens comme toi, alors que les littéraires comme moi attribuent à l'art des mots une portée universelle. Autre point, chez les Britanniques j'ai appris que les choses ne reçoivent de noms que si elles existent, alors que chez nous, où le roi et ses préfets sont tout-puissants, on en est à penser que c'est le nom qui crée la chose, et que le droit de nommer revient aux seuls agents désignés en Conseil des ministres. Étant convertie à la British life je ne nommerai que ce que je sais, le reste sera mis au conditionnel et entre parenthèses, les lecteurs en feront ce qu'ils voudront.

Écrire notre roman dans ces conditions n'est pas des plus faciles. Il faudra constamment s'assurer de ne pas dire le contraire de ce qu'on croit penser. Tu vois, si on ajoute les métamorphoses et les caméléons qui pullulent dans ton récit, l'affaire nous dépassera, ce ne sera pas assez de mobiliser l'Académie française pour l'écrire. Je ne viserai pas l'impossible qui t'est familier mais seulement le meilleur possible, voilà ce que je peux te promettre.

Je t'embrasse très fort, maman chérie. Dis à papa, à Bruno et à nos petits parents les bêtes que je pense à eux et que je les aime. Je n'ai toujours pas de religion, Dieu ne l'a pas permis, mais ce soir je vais allumer un cierge et prier la Vie pour nous. Une flamme dans la nuit, c'est bien ce dont j'ai besoin en ce moment.

Good morning, mom,

Il faut que je te le dise en tout premier point : je me suis réellement émancipée de toi lorsque, une fois ta retraite en poche, il y a deux ans jour pour jour, tu as décidé comme une grande d'aller vivre et travailler en Allemagne. Great ! Pour une historienne spécialiste de l'Allemagne, germanophone et germaniste de surcroît, le choix allait de soi. Ce jour, j'ai cessé de te voir comme je t'ai toujours vue depuis ma naissance, tu étais la maman de droit divin, la reine mythique détentrice d'un pouvoir mystérieux sur sa tribu, celle qui explique le monde et le tient à distance, ton image était inséparable de la famille et de la maison dont tu tenais toutes les clés. Pour la première fois, je te voyais en femme, une femme passionnante, passionnée, libre, ambitieuse, charmante et charmeuse, qui pouvait être une amie, un mentor. Toi qui aimes parler de métamorphose, c'en était une miraculeuse : la maman, la prof, la petite-bourgeoise de banlieue à qui on ne la fait pas, Mme Potier, pfft, disparue dans la fumée, et voici surgissant de son propre chapeau une femme dans sa lumière, dans tout son mystère de femme… et chose étonnante, elle a un nom à elle, je ne l'avais plus entendu depuis le décès de papa, et lui-même ne l'utilisait qu'une fois l'an, le jour de ton happy birthday : Élisabeth. Applaudissez !... Encore !

Quelle merveilleuse nouvelle ! Et quel soulagement, je craignais tant que tu ne t'installes dans la retraite et que tu ne te laisses aller à vivoter à la petite semaine : promenade matinale au jardin public avec les jeunes vieilles fraîchement versées dans la retraite, tout éperdues, qui se cherchent des repères et de nouvelles habitudes, distribution de friandises aux chats de gouttière et aux pigeons idiots du square, mots fléchés et sudokus troisième âge tout l'après-midi, et le soir après le dîner, léger comme le veut maître Doctissimo, infusions chinoises, chocolats belges et dodo avec TF1, la France du *De profundis clamavi*, que Charles Baudelaire, encore lui, voyait ainsi :

C'est un univers morne à l'horizon plombé,
où nagent dans la nuit l'horreur et le blasphème.

Et le dimanche le grand jeu, la folie pure : descente à Paris, Grands Boulevards, vitrines, resto, ciné, café, glaces et sorbets, et retour en RER sur les genoux.

Vivre ça à soixante ans c'est du suicide, un péché contre la vie et les bonnes mœurs. À ce tournant, on ne fait pas d'économies, on se lâche, on doit vivre trois fois plus vite, une pour tenir son temps, une autre pour rattraper le temps perdu et celui qu'on nous a volé, et une troisième pour prendre un à-valoir sur le temps à venir. La guerre contre le temps c'est la grande affaire de la vie. Qui veut la mener un jour doit commencer de suite. Et si on la perd, ce qui va de soi, ce sera avec le sourire. Trente années d'enseignement de l'histoire, à parler de guerres, d'invasions, de révolutions, de crises économiques, de complots, de successions à l'arraché, de bureaucratie mondialiste, dans un lycée dont la réputation est arrivée au Conseil de sécurité de l'ONU (je crois que là-haut, au ministère, on l'appelait le lycée Kaboul et on pensait aux talibans, les étudiants de la sunna, avant d'envoyer des kamikazes comme toi, des militants pour le progrès du genre humain, le remettre dans le droit chemin, ce qui lui a valu son autre surnom, le lycée de la Deuxième Chance), t'ont forgé un caractère qui ne pouvait, une seule demi-seconde, se laisser séduire par l'idée de mourir dans une banlieue pareille, *dimorphe* selon le mot des anthropologues, avec d'un côté le quartier vert, le nôtre, qui sent le formol, l'encaustique et la cuisine au beurre, et en face, de l'autre côté de la voie ferrée du RER, la zone aride, de la HLM en barres et tours folles à perte de vue qui sent la friture à l'huile recyclée, le mouton des steppes et le pneu brûlé, et à leur pied des no man's land vertigineux qui annoncent le désert des Tartares. Ah, ces noms qui disent tout et rien, selon qu'on est d'un côté ou de l'autre de la frontière. Ici c'est la Petite Suisse, là les Zones tribales et alentour c'est la France ou le Pays nul, mot venu avec les déplacés du Val Fourré, réserve indienne sise de l'autre côté du monde, dans les Yvelines sibériennes, lors du grand exode consécutif à la métamorphose de la mythique cité, baptisé « Opération dédensification », qui a consisté à faire disparaître à l'explosif un tiers de sa population pour que les deux tiers restants puissent étendre les bras, mieux respirer et vivre un peu. Ainsi conçu, le balancier élague d'un côté et charge de l'autre.

C'est parce que tu savais le danger que tu as tout vite

décidé et organisé. Bravo ! Quand tu m'as annoncé ton départ, mon cœur a fait boum, je me suis dit : vive maman, elle est libre, elle sort enfin de son train-train en boucle entre deux banlieues extrémistes, l'une sinistrée, l'autre embaumée, entre notre petit pavillon encagé dans ses barreaudages imposés par les assurances et le lycée Sing-Sing, autre nom de la Deuxième Chance, fort de sa marmaille multicolore et de son armée de vigiles tatoués, aux crânes drôlement cabossés, elle échappe à cette époque de la dernière chance et s'ouvre une nouvelle vie, pleine d'envies et de volontés, elle fréquentera d'autres gens, peut-être un homme, un courageux qui n'a pas peur des femmes, des amies volages, des déconneuses qui lui apprendront à rire, se moquer, voyager, s'habiller en amazone, que sais-je, elle fera la folle, elle tombera amoureuse (comment imaginer cela ?), concevra des plans audacieux. J'étais libérée d'un poids. J'avais moi-même, cinq années plus tôt, à vingt-deux ans, après deux longues années de galère dans le désert, quitté la France, ce pauvre royaume malade de sa grandeur passée qui me refusait un emploi même peu rémunéré, gardienne de quelque chose, hôtesse à mi-temps, colleuse d'affiches. Avec une licence ès lettres, je n'étais rien, j'étais un boulet pour la société, une honte, je devais demander pardon et me cacher. Pôle emploi m'a dit de ne plus revenir, comme à son tour la poste me l'a signifié hier. Radiée pour mauvaise identité et l'autre fois pour profil honteux. Un bras de mer plus loin, j'ai tout trouvé, la force de reprendre mes études, la foi en l'avenir, le goût de l'amour et de la fête, et sais-tu, par-dessus tout, je me suis sentie utile et importante. J'ai voyagé, milité, appris. Du haut de ma petite réussite dans mon nouveau pays, la France me paraissait irréelle, lointaine, oubliée des dieux et des hommes, mais pas des rentiers et des crevards. Je la regardais avec pitié et dégoût, comme les descendants de migrants des siècles passés regardent le pays de leurs ancêtres que ceux-ci avaient fui sous le feu de la persécution. Je craignais pour toi, je te voyais vieillir dans les pires conditions, dans une banlieue momifiée, dans un pays qui s'éteint en ne croyant à rien, ni à la passion ni à la résurrection et plus du tout à la révolution. Vivre cela c'est mourir deux fois.

Comme tes yeux brillaient. J'ai compris que tu avais réellement rompu avec la fatalité quand j'ai vu que pour tout bagage tu emportais deux sacs de voyage, des fourre-tout d'aventurière. Ton idée était bien de vivre dans la légèreté et la nouveauté et de laisser les vieux cadavres dans leurs placards. Le moisi avec le moisi, le frais avec le frais, ça c'est du rangement. C'est tout toi, tu t'es toujours interdit de faire les choses à moitié, comme le recommandait notre M. Jean de La Fontaine moderne, le citoyen Prévert. Tu ressentais ce que j'avais ressenti quand j'avais moi-même décidé de prendre mon baluchon et d'aller chercher la vie ailleurs. Elle me manquait atrocement mais où la trouver et quelle forme avait-elle ? Je ne le savais pas, j'avais vingt ans et pas de repères, mais il me paraissait certain que ce n'est pas là où le chemin s'arrête que l'on peut espérer apprendre à marcher, courir, rêver, vivre. C'est triste d'en arriver à fuir son pays, pas seulement parce qu'il ne sait plus donner la vie et la faire chanter mais parce qu'il l'empêche, la maltraite, l'endeuille, c'est tellement humiliant d'abandonner le navire quand nous revient l'honneur de le sauver du naufrage. Mais la loi naturelle est la loi naturelle et celle-ci est irréfragable : la vie doit prévaloir en toutes circonstances, l'ordre cosmique en dépend. Si le bateau coule, qu'il coule, les fonds en hébergent d'innombrables, l'essentiel est de sauver les vies, pas le cercueil, ne pas oublier.

Et te voilà en Allemagne, à Brême comme on dit en France pour Bremen, comme on dit Francfort pour Frankfurt, Aix-la-Chapelle pour Aachen, Munich pour München, Moscou pour Mockva, etc., c'est une manie française de rebaptiser les autres sans prendre leur avis.

Tu m'avais raconté comment tu avais trouvé cet emploi mais j'avoue que j'ai oublié les détails. Dans un roman, c'est important les détails, ils meublent les pages comme les bibelots rehaussent un meuble, mais je crois qu'ici on peut s'en passer, avec ton histoire on a de quoi garnir dix romans. Il me revient que c'est une tienne collègue qui t'a mise sur la piste d'un réseau franco-allemand de retraités de l'Éducation nationale qui machine dans la coopération entre les deux pays, organise des échanges, aide à trouver des postes d'enseignement chez le voisin. De clic en clic, tu es tombée sur une annonce qui peut-être t'était spécialement destinée : une agence spécialisée dans l'éducation en mode privé, agissant pour le compte d'une famille de Bremen qui souhaitait embaucher une enseignante française à la retraite pour accompagner à plein temps une jeune enfant dans son éducation. On exigeait des CV très détaillés et de solides motivations.

L'affaire prit quelque temps, l'agence vérifiait scrupuleusement les dossiers, le mandant était une famille importante de Bremen, en vérité l'une des plus riches d'Allemagne, voire d'Europe, et l'enfant qui avait onze mini-printemps était difficile, cyclothymique, encline à la nostalgie et parfois subitement fantasque. C'était dit à demi-mot mais avec le juste ton pour décourager les prétendantes qui espéraient s'offrir des vacances royales auprès d'une enfant amusante d'une richissime famille. Pour les feignasses, la retraite c'est ça, la dolce vita, pas la guerre avec une fillette désaxée et des patrons tyranniques. J'imagine ton sourire, qu'est-ce qu'une guerre quand on a fait vingt ans à Sing-Sing dans une banlieue de regroupement dans laquelle tous les drames de la planète viennent résonner et déposer des graines dégoupillées tout à fait aptes à remplir l'avenir de vendettas à épisodes. Dans cette course tu étais naturellement désignée pour prendre la tête, tu dégages une force tranquille rassurante pour des parents inquiets. Il ne te restait que l'épreuve de la rencontre avec eux et l'enfant pour le vérifier.

Voyage à Bremen. Contact merveilleux, ces gens étaient charmants, ouverts, et la fillette, Cornelia de son prénom, Nele en raccourci, adorable tout plein. À les entendre parler un français excellent, citant Voltaire et Proust avec grande justesse, se posait la question de savoir ce qu'une préceptrice française parlant un allemand seulement bon pouvait apporter à l'enfant.

Mais l'enseignement n'était pas l'objet principal du marché, de ce côté l'enfant ne manquait de rien, elle était assez largement au-dessus de la moyenne de son âge, tu l'as vite compris, elle était fragile et l'absence de ses parents, toujours par les airs et les mers de par le monde, pour leur business et leurs bonnes œuvres, accentuait des failles dans sa personnalité complexe qui, croyait-on, pourraient se transformer en gouffres et se résoudre en séismes. L'erreur commise par eux a été de la gâter d'une manière outrancière et d'organiser autour d'elle une sorte de soumission générale à ses caprices. Quand martyriser son entourage et massacrer ses jouets ne l'amusait plus, l'enfant s'acharnait sur elle-même et, voyant la terreur panique s'emparer de l'intendance, en rajoutait des tonnes dans une sorte de delirium épileptique. Ça rappelle des choses. Ton récit m'avait fait penser au film *Le jouet* de Francis Veber avec Pierre Richard et Michel Bouquet, qui raconte les aventures et mésaventures d'un journaliste marrant avec son look chiffonné, acheté comme jouet par le fiston hyper gâté d'un magnat de la presse qui se trouve être le patron dudit journaliste. Pris entre père et fils, entre dignité et soumission, il mesure combien la vie laisse peu de place à l'honneur. Horrible et combien banal. L'enfant joue avec lui comme le chat amuse la souris sous le regard énamouré du père. Mais bon, le journaliste se débrouille plutôt bien, il ne moufte ni ne regimbe, il prend sur lui sur le mode « même pas mal, faisons plus fort ! », et quelque chose se produit, à force de rigolades et de carambolages le garçon sort tout ébloui de sa folie de gosse de milliardaire pourri gâté et veut vivre pauvre et heureux et n'avoir autour de lui que des amis sans le sou mais pleins de bons sentiments. Je ne me souviens plus si le papa appréciait l'évolution prolétarienne de son héritier.

Le cinéma c'est fort en illusions, sauf que la réalité ne se laisse pas abuser par des mièvreries. Il fallait à côté de cette gamine fragilisée par son entourage une autorité, une femme à poigne, magnétique, intelligente, cultivée, amusante, aimante, maîtrisant l'art subtil de la pédagogie et celui militaire de la domination. Tiens, c'est tout toi, maman, que des qualités !

Et te voilà installée dans la demeure impériale de la famille Von Hornerberger. Waouh, la classe ! Tu t'es donné une semaine pour présenter aux parents ta compréhension de la situation et un plan de travail à même d'aider l'enfant à retrouver l'azimut d'une vie normale. Trente ans d'enseignement dont vingt à faire du sauvetage de masse, dans l'urgence, la pénurie de moyens et l'abondance de quolibets, voire de menaces et de voies de fait, t'ont appris des trucs, scientifiques peut-être, magiques plutôt, de la grosse mécanique mais aussi de l'orfèvrerie de précision. Ici, il n'y avait même pas de problème, pas chez l'enfant, il fallait simplement rétablir une vie vraie autour d'elle : le personnel devait cesser de se comporter en esclaves énamourés prêts à s'ouvrir le ventre, au service d'une princesse supposée folle, et les parents accepter l'idée que leur enfant traverse une période difficile de doute, de peur, de bravade pour sortir de l'enfance et entrer dans l'adolescence. Ils devaient échapper à cette culpabilisation qui les poussait à écraser l'enfant sous trop de surveillance, trop d'attentions, trop de fausseté, trop de tout. C'est évident bon sang, pas besoin de forceps pour se l'avouer, trop de sucre gâte le foie, trop de cadeaux abîment le cœur, trop de tout détruit ce qui reste de raison. Sa révolte est normale et légitime, n'était qu'elle attentait à sa santé. Affaire réglée, l'enfant doit vivre sa vie, il restait à discipliner tout le monde autour d'elle et sévir le cas échéant. L'éducation c'est le savoir, plus la pédagogie, plus la liberté, plus la police. Il faut décréter l'état d'urgence et tirer à vue sur les contrevenants.

Tout se passait bien, l'enfant, les parents, Bremen, l'Allemagne et toi-même, et pour moi aussi qui de Londres la bienheureuse suivais avec bonheur ta nouvelle et utile vie, et, comme dans le conte, tout était promis à plus de joie, de succès et de bonheur. Il ne manquait que l'approbation de Dieu pour parler de miracle.

Le vrai bonheur des hommes est là, contenter Dieu, surtout s'il est exotique, voire proche de l'état sauvage. Et c'est bien là le drame, le bien d'où qu'il vienne est un aveuglement, il nous fait oublier le mal qui ne ferme jamais l'œil, lui. Pauvre maman, pauvre maman. Trop de bien tue le bien, ça abîme autant que le sucre blanc.

ROMAN

note n° 1

Au croisement de deux histoires

Le temps des migrants

> *L'Éternel dit à Abraham : Va-t'en de ton pays,*
> *de ta patrie, de la maison de ton père, dans le pays*
> *que je te montrerai.*
>
> (Genèse 12:1)

Notre histoire personnelle s'écrit parfois en dehors de nous, par des gens dont nous ne savons rien, que probablement nous ne rencontrerons jamais. Il arrive qu'elle soit une histoire de souffrances, de mort et d'incompréhensibles rebondissements.

Alors que maman préparait pour sa brillante élève ses décoctions magico-pédagogiques dans la royale demeure des Von Hornerberger à Bremen, deux histoires, l'une ancienne, l'autre actuelle qui s'écrivait et se réalisait en même temps, allaient incidemment converger vers elle et la prendre dans leur cours tumultueux. Incidemment à notre échelle, mais on peut penser que sur un plan supérieur il y a un lien de causalité des plus solides. Je ne crois pas que cela se soit jamais produit qu'une personne se trouve simultanément enrôlée dans deux histoires que tout sépare, le temps, l'espace, les attendus. L'ubiquité n'est pas accordée aux hommes.

Comment écrire une telle histoire ? Il faut partir de quelque chose, mais quoi ?... De Bremen ? Oui... mais oui, de Bremen la douce, vieux joyau de la ligue marchande de la Hanse qui dès le Moyen Âge et tout le long de la mer du Nord et de la Baltique, en un chapelet continu de villes, de Londres et Bruges à Riga et Novgorod, en passant par Stockholm, Kiel, Hambourg, Bremen, Dantzig, Lübeck, Köln, Uelzen, Mulhouse, etc., première manifestation de la mondialisation en marche, a formé une puissante chaîne de bastions de pouvoir et de prospérité sur fond d'émigration de masse, de colonisation, d'esclavage et d'évangélisation. Et des Von Hornerberger peut-être aussi ?... Oui c'est sûr, ils sont au départ de l'histoire... les choses avaient probablement commencé ici, durant ce week-end que maman avait décidé de passer à Bremerhaven, à cinquante kilomètres au nord de Bremen, à l'embouchure de la Weser sur la mer du Nord. Elle voulait voir cet endroit mythique à partir duquel les migrants allemands embarquaient en masse pour l'Amérique au cours des XVIIIᵉ et XIXᵉ siècles. Plus de sept millions de personnes ont pris ce chemin et sont allées enrichir ce pays de leur formidable force de travail et se sont elles-mêmes enrichies de son envoûtante passion pour la liberté. Parmi eux, il y eut un jour un certain Viktor Tamas Von Hornerberger pour l'arrière-petit-fils duquel maman travaillait aujourd'hui.

Le port est impressionnant par son gigantisme et son ordonnancement rigoureux, mais il faut avoir le pied marin pour apprécier de s'y attarder, ou quelque chose en soi qui aime voir des bateaux immobiles, des hangars ennuyeux et des grues hiératiques à perte de vue. Il faut aussi savoir endurer le cri corrodant de ces satanés volatiles des ports, mouettes, goélands, et fous de Bassan égarés loin de leur Écosse natale, le ciel en est plein, c'est dire la richesse des lieux. Il n'y a pas que les humains qui migrent, les oiseaux le font à bien plus grande échelle. Tout bouge sur terre, les continents et les pôles. Elle se promena d'un quai à l'autre et arriva dans le cœur battant de la ville, la Maison allemande des émigrés. En ce temps d'exode massif vers l'Amérique, c'était ici, dans un monumental hangar de bois, que les migrants s'entassaient avec leurs bagages d'où, au signal, ils rejoignaient la passerelle qui les menait muets d'appréhension dans les ventres sombres et nauséabonds des bateaux. C'est ainsi que Viktor Tamas Von Hornerberger, futur fondateur de la dynastie éponyme, s'embarqua un jour glacial de décembre 1831 sur le trois-mâts *Die neue Hansa* en partance pour New York. Il avait vingt-deux ans et se flattait d'une physionomie avantageuse, abîmée par un menton en galoche qu'il cachait sous une barbe sauvage, qui en Amérique lui valut le sobriquet de Clog chin ; il le reçut le jour où il se rendit chez le barbier qui, découvrant la belle protubérance sous le pelage, s'était écrié « *Yeah the brave clog chin under the bush !* », puis chez le photographe pour passer dans le *New-York Gazette* et le *Deutsch New Yorker Zeitung* une annonce avec photo qui allait changer le cours de sa vie : « Jeune Saxon, 22 ans, travailleur et honnête, cherche jeune Saxonne de bonne vie pour fonder foyer heureux. Écrire au journal. Numéro 35102. » L'élue sera une certaine Margaret Fritz-Krüger, âgée de dix-sept ans, originaire d'un *Dorf* proche de Lunebourg, elle-même arrivée depuis peu d'Allemagne avec sa famille, des luthériens d'une tendance nouvelle, radicalisée dirait-on aujourd'hui, mais vouant un culte à l'enseignement. La mignonne savait lire et écrire et ne désespérait pas de savoir un jour compter, handicap qu'elle surmonta en apprenant à se servir du boulier chinois aussi bien qu'un négociant cantonais. La carrière de Viktor devra beaucoup aux dispositions arithmétiques de son épouse. Savoir compter vite et bien en Amérique était aussi important que de savoir tirer le premier.

À l'emplacement du hangar a été construit le plus beau et le plus intelligent musée qui soit sur terre. Il a pour nom *Deutsches Auswandererhaus*, la Maison allemande des émigrés, et a reçu le prix plus que mérité de « Musée européen de l'année 2007 ».

À l'entrée, chaque visiteur se voit remettre un petit feuillet présentant la biographie d'un des sept millions de migrants, tiré au hasard de la mémoire d'un ordinateur, manière pour lui de se mettre dans la peau de cet aventurier tout le long de son extraordinaire périple jusqu'à la Terre promise. Puis, un guide prend le groupe par la main et, par ses commentaires et sa verve, lui fait réellement vivre le voyage de bout en bout, du hangar jusqu'à New York où les migrants amaigris, épuisés, inquiets et heureux se dispersent, chacun prenant la route pour la vie que le destin lui a préparée, difficile pour tous, tragique pour certains, féerique pour quelques phénomènes que la Providence, la chance ou le Diable auront effleurés de leurs doigts.

Sur le même trois-mâts avait embarqué un certain Ernst Hans-Günter Ebert, dit Ebert le clodo, qui deviendra Ernst Von Ebert, baron par acquisition, après avoir accumulé une fortune qui au classement actuel de *Forbes* le placerait haut la main dans le peloton de tête. L'accompagnait une femme rougeaude costaude, emballée dans une lourde robe en mille-feuille, chargée de sacs et de baluchons, son épouse de fraîche date, Iris Wilhelmine Dana. Maman en a parlé dans sa partie.

Viktor Tamas Von Hornerberger avait presque aussi vite que le bandit Ernst Ebert, en son fief de l'Arizona, amassé une belle fortune dans le Michigan, dans la région des Grands Lacs puis dans l'Ontario, de l'autre côté du lac Supérieur au Canada, dans l'extermination des castors, lors de la mirifique « ruée vers le castor » qui lui valut le sobriquet de Castor boy, et plus tard au Venezuela et au Brésil où il s'engagea avec les Indianos dans l'exploitation des indigènes, et enfin en Afrique du Sud où il s'établit définitivement, devenant pour le malheur de ce pays un Afrikaner parmi les plus nuisibles. C'est un chapitre de leur histoire que les Von Hornerberger modernes passent volontiers sous silence. Nonobstant cette cruauté, le nom est inscrit dans l'histoire sanglante de ce pays, le magnat y a occupé des fonctions-clés, chef de la police, ayant droit de vie et de mort sur tout Deux-Pattes à tête crépue à portée de fusil, de la race des fiers Zoulous en particulier, puis ministre des Mines, et a été parmi les meilleurs pillards de l'Afrique australe, de l'Afrique du Sud au Transvaal, de la Rhodésie au Bechuanaland. Pour les Boers, il restait un cow-boy, ils lui offrirent un nouveau sobriquet bien dans le genre du personnage : Crésus boy. La réputation de la famille souffrait de cette filiation, mais le mécénat massif qu'elle dispensait à travers ses diverses fondations en atténuait sensiblement les effets. L'abolition de l'apartheid en 1991 a renvoyé la séquence à l'Histoire universelle, elle ne concernait pas plus la famille Von Hornerberger que toutes les familles dans le monde qui à un titre ou à un autre avaient entretenu des relations amicales avec le régime de l'apartheid. L'exorcisme mené par la commission « Vérité et réconciliation » n'a, à bien voir, concerné que les méfaits commis par les policiers blancs sur les Blacks, sans effleurer la gentry qui planifiait, finançait et organisait l'extinction du Zoulou. Les habitants de la stratosphère ne sont pas visibles du plancher des vaches.

À la mort du fondateur, la famille quitta ses fiefs de Pretoria et de Johannesburg pour Londres, rompant avec la tradition africaine. Était venu le temps de l'Europe, un nouvel ordre mondial se dessinait, on découvrait de nouvelles façons de s'enrichir et de se tailler des empires sans se mouiller. Le krach de 29 fut l'embardée qui tua le capitalisme de papa. Le troisième héritier, le grand-père de Johannes-Markus, ferma le cercle et vint s'établir à Bremen pour privilégier l'axe allemand de l'histoire des Von Hornerberger. Forte de son expérience internationale, la puissante dynastie sut faire les deux guerres mondiales sans trop s'éclabousser, prenant chaque fois les bons virages aux bons moments. Durant la guerre froide, ils travailleront en bonne intelligence avec les Soviétiques et les Américains… et en sous-main avec les Chinois dans une perspective post-guerre froide. La mondialisation policera tout ça, le marché n'est plus la foire ou la guerre, il est moderne, c'est-à-dire indifférent aux gesticulations des hommes, il loge dans les chipsets des ordinateurs rangés dans des abris antiatomiques aseptisés, calculant à la vitesse de la lumière la défaite finale de l'humanité. Bientôt on ne saura plus par quelles mains nous serons dépouillés, jetés dans le haut-fourneau et passés au laminoir.

La Maison allemande des émigrés de Bremerhaven est une merveille de musée Grévin de l'émigration. Il a la forme d'un bateau à voiles du xviiie siècle. On y entre par une passerelle, on circule à travers ses ponts, ses cales, ses échelles, ses coursives, et à l'autre bout on sort sur une passerelle qui donne sur le quai de New York. Les personnages de cire sont d'un réalisme si vif qu'on se surprend à parler aux uns et aux autres : « *Pardon madame* », « *D'où êtes-vous cher monsieur ?* », « *Oui mon brave, c'est vrai qu'il fait chaud* », « *Que lisez-vous là, l'ami ?* ». N'étaient leur attitude lointaine et leur silence vexant, on poursuivrait tranquillement la conversation. Ce sont plusieurs centaines de femmes, d'hommes et d'enfants qui voisinent à l'étroit dans un décor d'époque surréaliste, figé dans le temps et le mouvement. En circulant parmi eux, dans un brouhaha incessant diffusé par des haut-parleurs invisibles, intelligemment positionnés, distillant les bruits d'une vie communautaire dans un espace confiné et ceux que produit un lourd bateau fendant les flots et les vents, avec parfois les cris des marins hurlant en écho tel ou tel ordre, on ne se reconnaît plus, on se fige comme touché en vol par un fluide paralysant, devenant soi-même un migrant de cire enfermé dans un sarcophage étanche qui dérive sur l'océan comme un navire fantôme. Métamorphose.

Ils y allaient malgré tout, portés par le plus puissant de tous les rêves : le rêve d'une vie meilleure.

En cheminant dans les boyaux du bateau, d'une scène à l'autre, on débouche sur le pont supérieur, inondé d'une lumière aurorale aveuglante, où se massent des migrants en tenue de nuit accourant de tribord et de bâbord, de la poupe et de la proue, joyeux, bruyants... ils célèbrent quoi... le lever du dieu Soleil ?... l'apparition de l'Ange de lumière ?...

non, l'Arrivée, *die Ankunft*, ils lancent à pleine gorge hourras et alléluias, rient, prient, s'enlacent, chantent, dansent une *Ländler*, une *Zwiefacher* ou une *Schuhplatter* endiablée, pleurent, et tous, bras levés au ciel, regardent au loin dans le couchant la ville mythique émergeant d'une brume épaisse, New York, la Terre promise des pauvres et des persécutés de l'Europe. Comme leurs yeux brillent dans la lumière de ce Nouveau Monde ! Plus que ça, autour d'eux tout est nimbé... d'un limbe surnaturel. C'est le paradis... pas pour cet enfant accroché au bastingage qui trépigne en tirant sa mère par la robe, il ne comprend pas qu'elle le néglige pour une apparition oiseuse... c'est l'attendrissante exception qui souligne la plénitude du moment. Une scène magnifique qui emporte par sa magie, nous voilà happés par leur rêve d'Amérique, et l'Amérique est là, à portée de regard et de la main. On y croit de toutes ses forces. Gloire à l'artiste qui a scénarisé le tableau. Magnifiques, les décors, les figures de cire, le jeu de lumières, les hologrammes, le bruitage, la patine des choses, le tout d'une vérité criante, et, cerise sur le gâteau, il y a ce petit quelque chose invisible et bouleversant, qui prend à la gorge, qui donne envie de pleurer, que nous appelons simplement « art » faute d'avoir trouvé un mot plus long, plus grand, plus mystérieux. Il nous a métamorphosé en migrant !

Il y a aussi de la belle tristesse dans l'air, on va se séparer, le confinement qui semblait sans fin, cette communion dans l'espérance et les épreuves du quotidien, a créé des liens si forts qu'on les voudrait éternellement indissolubles. Tout ce jour, on échangera des présents, des recommandations, des adresses, des larmes et des sourires émus. L'Amérique est immense, tous le savent, il se raconte tant de choses, horribles, mirifiques, incroyables, on sait qu'on ne se reverra pas, sauf miracle, la vie qui vient sera si dense que le passé s'effacera pour laisser toute la place à l'avenir.

À l'étape suivante, une autre passerelle, on débarque, on se sépare. On retrouve les familles, ici sur les quais, assises sur leurs malles et leurs ballots, là debout intimidées devant des agents de l'émigration assis derrière des rangées de tables, qui, forts de leur bon droit, les questionnent en baragouinant un allemand oublié ou un américain qui sent encore sa lointaine Europe, les enregistrent, leur délivrent des papiers, là errant dans les rues luxuriantes de la ville, et là dans la salle des pas perdus de Grand Central Station, attendant un train, des parents, un geste de la Providence. À les voir si humbles, perdues dans l'immensité et l'inconnu, on est saisi d'une profonde empathie pour ces familles, toutes plutôt jeunes, elles n'ont pas seulement effectué un dur et périlleux voyage de Bremerhaven à New York sur une coquille de noix, elles ont vécu le mystère bouleversant de l'Exode, de l'Égypte vers la Terre promise, porteuses d'une espérance que rien ne pourra infléchir. La lecture quotidienne de la Bible les a préparées à tous les miracles, toutes les promesses. C'est ce que l'on ressent soi-même en retrouvant les rues fraîches de Bremerhaven, on revient riche et heureux d'un exode ancien dans le Nouveau Monde.

C'est en furetant dans les recoins du bateau comme si elle avait perdu quelque chose, sa montre ou ses lunettes, poussée plutôt par une force, que maman s'arrêta devant un personnage de cire remarquable de précision et d'expression, un jeune homme, petit, râblé, l'air rusé et entêté, qui assis sur un tabouret s'appliquait de toutes ses forces à écrire une lettre, il semblait en avoir des crampes bleues aux doigts et suer toute son eau. Elle se pencha par-dessus son épaule, c'était bien une vraie lettre, sur du papier d'époque, jauni, craquelé, elle s'adressait à ses parents, elle était libellée dans le *Niederdeutsch* en usage dans la Basse-Saxe de ce temps. Bien que ce fût interdit par le règlement, elle prit plusieurs instantanés avec son portable. La lettre disait tout banalement des choses essentielles, comme les gens simples savaient les dire naguère, avec naturel et sincérité. Maman a eu l'excellente idée de la traduire en bon français, nous faisant grâce des fautes d'orthographe, des ratures et des gribouillis dont elle était truffée. Nous n'aurions pas cru que cet « écrivain » savait lire et écrire.

Sur le Die neue Hansa, *ce 25 février 1832.*

Chers papa et maman, chers frères Otto, Andreas et Lukas, et chère sœur Ute,
Je vous écris ces quelques lignes pour vous dire que je vais bien et j'espère qu'il en va de même pour vous. Le voyage est dur mais agréable, nous avons vu des cachalots, des requins et des dauphins qui nous ont joyeusement accompagnés, mais pas de sirènes comme on nous avait promis, ni heureusement de monstres marins qui hantent les abysses. Chaque soir, nous avons prié pour être épargnés et nous retrouver vivants au lever du jour.
Les voisins de couchette sont chouettes, de vrais chrétiens qui n'oublient pas leurs prières, ce qui plaît bien à Iris qui a beaucoup de religion. Il y a aussi des Juden dans la cale, on les entend sans cesse marmonner leur Tanakh et débattre de leurs midrashim, qui doivent être bien mystérieux. La bordée de service c'est tire-au-flanc et compagnie, on se débrouille comme on peut pour le

frichti. Le pain de maman me manque. Düsseldorf et
mes amis aussi.
　　Dieu vous garde.
　　Je vous embrasse.

　　Votre fils et votre frère, Ernst Hans-Günter, aux portes
de la Nouvelle Jérusalem, par la grâce du Seigneur et de
saint Christophe de Lycie, adorable patron des voyageurs,
que nous avons prié à Bremerhaven et à Liverpool et à qui
j'ai offert deux pfennigs honnêtement gagnés.

En cherchant bien, elle aurait peut-être trouvé une effigie
portant le nom de Viktor Tamas Von Hornerberger, l'ancêtre de Johannes-Markus. C'est pour lui qu'elle était venue
à Bremerhaven, voir le lieu où il avait embarqué. La maman
de Cornelia lui en avait parlé un jour mais comme en parle
le *Who's Who* de Bremen, avec la considération lyrique due
au plus illustre d'entre les siens. Elle avait besoin de ces
informations afin d'alimenter ses travaux pratiques, pour en
l'occurrence expliquer à Nele qu'avec les autres il faut avoir
des liens qui ne soient pas que conjoncturels et intéressés,
ils doivent s'inscrire dans l'histoire des siens et du monde,
c'est ainsi que, se renforçant par la proximité et l'usage, ils
bâtissent une société fondée sur l'estime et la solidarité. Viktor Tamas était peut-être là, allongé sur un bat-flanc voisin,
dans le quartier des célibataires, en train lui-même d'écrire
à sa famille, là-bas à Bremen, foyer natal des Von Hornerberger, une lettre qu'il posterait à New York, qui annonce-
rait la merveilleuse et rassurante nouvelle : *Wir sind in der*
neuen Welt angekommen, Halleluja !
　　Mais un musée n'est pas le bureau des objets trouvés,

on ne vient pas y chercher ses aïeux, il raconte un épisode de l'éternelle marche de l'humanité vers une vie meilleure.

Si l'histoire locale donne une image précise du migrant Viktor Tamas Von Hornerberger, enfant du pays et plus tard mécène respecté et admiré de la ville, maman dut fouiller pour connaître le sieur Ebert. Très vite lui vint l'idée d'écrire une notice biographique sur lui, ce à quoi elle s'employait avec l'aide enthousiaste de la petite Nele qui trouvait dans ce passe-temps pédagogique un début de passion pour l'Histoire et les drôles de questions qu'elle soulève à chaque pas de l'enquête.

Bientôt, une piste se dessina, menant du Ebert du *Die neue Hansa* à celui du groupe industriel Von Ebert et à la Fondation Von Ebert. Miracle d'Internet, il ne suffit, après avoir consulté le *Who's Who*, que de quelques clics sur Google et de là sur divers liens pour arriver au site de la Fondation Karl Ludwig Von Ebert, dont la page d'accueil s'ouvrait sur une galerie photo des Von Ebert, avec au sommet de la pyramide le fondateur Ernst Hans-Günter Von Ebert, puis au site du musée Von Ebert du Biscuit, etc. La légende est bien documentée mais évidemment elle ne dit pas la vérité, il faut la chercher ailleurs.

Le projet n'a apparemment pas avancé, maman a laissé des notes éparses, sans continuité, des photos sur son portable et son ordinateur, et quelques pages imprimées tirées du Net sur les institutions Von Ebert et Von Hornerberger. Il faudrait se rendre à Bremen, récupérer ses affaires chez les Von Hornerberger, il s'y trouve sûrement des choses intéressantes, ou reprendre l'enquête de zéro. Oui mais pourquoi, qui s'intéresse à ce pauvre Ernst Von Ebert, sauf maman parce qu'il a fait une intrusion magique dans sa vie, ou l'inverse, et moi qui veux comprendre ce qui lui est arrivé et savoir à quoi elle pensait quand elle se mettait dans la peau de cette mystérieuse Ute Von Ebert qui rapportait à sa fille Hannah, vivant à Londres comme moi, en un feuilleton décousu, l'invraisemblable histoire d'une ville, Erlingen, inconnue des cartes officielles, symbolisant quoi… quelque chose évidemment, un Occident parfait, un sanctuaire menacé, un paradis perdu, assiégée par un improbable envahisseur, déjà maître invisible du monde, un train qui ne vient pas, qui ne vient plus, que les uns attendent désespérément pendant que d'autres s'échinent à empêcher sa venue, et un désert montagneux enneigé jusqu'au ciel qu'on observe comme un guetteur halluciné scrute l'horizon, d'où parfois sortent des êtres impossibles à concevoir, sinon au cinéma par des effets spéciaux, moitié bigfoot à bosse, moitié buisson ambulant.

Sacrée maman, quelle imagination ! Dieu que ta vie qui fut limpide en France, chez toi, au travail, entre Sing-Sing et notre gentil pavillon de la Petite Suisse dans ce mirifique 9.3, célèbre dans toute la galaxie, est subitement devenue compliquée en Allemagne, pendant ta retraite, chez les autres. J'en ai mal au crâne.

*

J'ai gardé le plus étrange pour la fin, qui montre que le hasard a bien d'autres fonctions que de surprendre et d'étonner, il enseigne, il raconte à sa manière l'étrange histoire du monde. Il le fait à coups de rébus, d'insolubles contradictions, qui ont vocation à rester indéchiffrables mais qui se rappellent sans cesse à la curiosité humaine pour qu'elle vienne en extraire le sens et le faire émerger à la lumière.

Un mois plus tard, dans l'ICE qui l'emmenait vers Hambourg, autre grand port d'émigration d'où partirent plus de cinq millions d'Allemands et d'Européens (Prussiens, Austro-Hongrois, Suisses...), dont la liste est tout aussi religieusement conservée en son musée de l'Émigration, le *Auswanderermuseum BallinStadt*, encore enchantée de son week-end studieux à Bremerhaven et perturbée par mille questions qu'elle n'arrivait pas à formuler, chose que les historiens connaissent quand parfois s'installe un lien étrange entre eux et les personnages qu'ils étudient, maman en sortant son carnet de notes de la poche de son trenchcoat y trouva un papier roulé en boule. Elle y jeta un œil superficiel avant de le mettre dans la poubelle, et s'arrêta net... Qu'est-ce là ?... mais... mais oui, c'était le feuillet biographique qu'on lui avait remis à l'entrée du musée de Bremerhaven, comme chaque visiteur avait reçu le sien. Elle l'avait glissé dans sa poche et oublié de le consulter comme c'était le jeu pour se mettre dans la peau d'un migrant en particulier et tenter d'éprouver les sentiments qui pouvaient l'avoir animé durant la traversée. Elle le déplia, chaussa ses lunettes... et... Quoi ?... qu'est-ce... est-ce possible... mon Dieu... c'est fou... la bio était celle de... Ernst Hans-Günter Von Ebert ! À ce niveau de ponctualité le hasard n'est plus le hasard, il est la vérité triomphante surgie à son heure dans un flash de lumière. Il est un verdict, une sentence.

Le choc fut si fort qu'elle poussa un cri. Ses voisins de banquette s'alarmèrent, gênés de ne pas savoir comment réagir. Elle les rassura d'un geste de la main et replongea dans la lecture de la notice. Elle disait ceci :

Ernst Hans-Günter Ebert est né le 20 juin 1812 à Nessle, un lieu-dit dans la commune d'Ekrath du district de Düsseldorf. De 13 à 15 ans, il s'emploie comme ouvrier agricole dans les fermes avoisinantes, puis comme apprenti chez divers artisans d'Ekrath dans la tradition du compagnonnage germanique. À 16 ans il arrive à Bremerhaven avec l'intention d'émigrer en Amérique. Deux années durant il s'emploie dans le port comme docker et dans divers autres métiers (charpentier, maçon, couvreur-zingueur).

Le 11 décembre 1831, à 20 ans, il embarque pour l'Amérique avec son épouse, Iris Wilhelmine Dana Rolf, sur le trois-mâts barque Die neue Hansa. *Il y débarque le 28 février 1832.*

Plus tard, grâce à l'argent qu'il envoie à sa famille, sa sœur, Ute, a fondé une petite biscuiterie sous l'enseigne « Die Königin Ute », empruntant par là le titre d'un conte local qui rapporte la geste héroïque d'une jeune princesse, nommée Ute, contre l'envahisseur ottoman. La fabrique produisait des biscuits appréciés de tous les enfants de la Basse-Saxe, attachée au duché de Brunswick.

Ernst Ebert est représenté par une reproduction libre numérotée 10/23/1831 en section 11 dans la salle commune/réfectoire (voir plan du bateau au dos du feuillet). Sur un bristol, elle est légendée : « Ernst écrit à sa famille en Allemagne ».

Nota bene :
* Cette notice a été rédigée sur la base d'informations contenues dans la fiche de renseignements que le migrant

Ebert a remplie en achetant son billet pour l'Amérique et celles obtenues auprès des familles de quelques migrants choisis au hasard au moment de la confection du fichier des migrants et de la construction du musée.

** Le *Die neue Hansa* peut se visiter aujourd'hui dans le port de Göteborg en Suède où il a fini sa vie en 1927, transformé en navire-musée.

ROMAN

note n° 2

Au croisement de deux histoires

Le temps des barbares

> *Et ils dévouèrent par interdit, au fil de l'épée,*
> *tout ce qui était dans la ville, hommes et femmes,*
> *enfants et vieillards, jusqu'aux bœufs, aux brebis*
> *et aux ânes.*
>
> (Josué 6:21)

Les hommes n'ont jamais manqué de raisons de tuer, ils les trouvent tout simplement partout où ils ont envie de les chercher. Il ne faut guère plus que ça pour écrire une page d'Histoire sombre à souhait : un chef de quelque chose, une ligue, une faction, une phalange, un bras droit ambitieux, un discours délirant, un rituel martial, deux trois slogans bien affûtés. Le malheur viendra d'autant plus vite que la société compte d'apôtres de la paix et de sectes pacifistes. Il ne fera pas jour que le premier crime sera commis.

Mais ce temps passe, un autre se dessine, le monde se libère du mensonge et l'homme se libère de lui-même, il ne tue plus pour lui, par égocentrisme, à sa mesquine mesure, foin de l'homme et de ses lubies, de sa morale, de ses coutumes, cela est vil et vain, il tue parce que Dieu l'ordonne du plus haut du Ciel. Désobéir est une erreur lourde. On comprend qu'il faille bien plus que la mort pour laver l'affront.

Le monde est en marche vers le nouveau royaume. Les Serviteurs qui se proclament uniques exécuteurs de la Volonté divine en seront les gardiens jaloux. Ils présideront le Tribunal universel permanent et soumettront les peuples par le spectacle terrifiant de leur mise à mort.

Il se pose bien des questions quant à la véracité ou l'absurdité de ces choses mais aucune n'a de réponse estampillée. Qu'importe à vrai dire, demain cesseront les doutes, les peurs et toutes fatigues mentales, la soumission est le refuge idéal. L'homme se soumettra et n'aura nul besoin de savoir à quoi et à quel prix, la soumission est la plus grande exaltation qui soit, elle est l'avenir du monde.

En tant qu'historienne et enseignante dans un lycée engagé dans la guerre mondiale, maman avait son idée mais n'en parlait pas, pas dans son établissement où le sujet est le monopole des élèves, pas à la maison où par esprit de bonne intelligence nous pratiquions l'autocensure et le double langage selon les meilleures stipulations du politiquement correct, et quand l'urgence nous forçait la main, nous imitions l'autruche ou nous nous zappions mutuellement. C'est simple, il était interdit de parler ouvertement des Serviteurs et de leurs croyances surnaturelles et pas question de commenter à tort et à travers l'actualité tragique du monde, il faut s'en tenir à la notice officielle. Maman, elle, dérogeait à la règle, étant la maîtresse des horloges, qui distribue la nourriture et ordonne l'extinction des feux, mais n'en abusait pas, elle rouspétait et grommelait sans plus. Il faut cependant l'avouer, ce qui ne se dit pas se pense quand même, dans la Zone verte on est plutôt remonté contre la Zone aride, son impossible Cité et les Serviteurs qui la gouvernent, on voudrait les voir changer en bien ou migrer vers un autre quartier, le plus loin possible. L'inverse est vrai mais lui peut se dire, s'écrire et se crier à la face des gens, la devise des Serviteurs, « *La Cité vaincra par et pour Dieu* », est taguée sur tous les murs, jusque sur nos portes et nos volets, que personne n'ose enlever car effacer le nom de Dieu est une autre lourde erreur. La Zone aride ne dort jamais, le rituel l'interdit, avant l'aube elle est en ordre de bataille, ses hérauts sillonnent prestement les rues en agitant la crécelle des lépreux : « *Ô croyants fautifs, réveillez-vous, il est l'heure, venez au rassemblement, veiller est mieux que dormir !* » crient-ils. En Zone verte, les dormeurs sont dans les profondeurs étales du néant, ils ne s'entendent pas ronfler, ni grincer des dents, ni ruminer leurs petits soucis de la semaine, on viendrait les égorger dans leur coma qu'ils refuseraient de se réveiller.

Tout cela est anecdotique, ce sont là bisbilles entre chers voisins, Rive gauche contre Rive droite, porcs contre moutons, rats des champs contre rats des villes, Zone bleue contre Zone rouge, c'est Don Camillo versus Peppone, c'est vieux comme le jour et la nuit dans le mouvement des planètes. Non, la nouveauté est... mon Dieu, maman se moquerait de moi... elle va se retourner dans sa tombe... j'ai bien ri de son obsession kafkaïenne de voir partout des métamorphoses monstrueuses... pour elle tout est là, le malheur du monde vient de l'instabilité de ses formes... Oui, bon, je le dis quand même... la nouveauté, me semble-t-il, c'est... *la métamorphose de Dieu lui-même !* Dieu n'est plus Dieu, le Dieu de l'univers et des êtres vivants, il est seulement le Dieu des Serviteurs, ses élus, son dessein n'est plus le bonheur de tous sur terre comme dans les cieux mais autre chose. On ne peut écarter l'hypothèse, ce n'est pas l'homme qui a changé, pas la société, pas l'humanité, ils n'ont pas les moyens de le faire, pas en si peu de temps, l'évolution des espèces se mesure en millions d'années, c'est Dieu qui a changé, d'un claquement de doigts, entraînant dans sa métamorphose celle des Soumis et de leurs suiveurs. Qu'en sortira-t-il, du bien, plus de mal, et qu'y pouvons-nous, nous opposer à la métamorphose, l'accompagner, élire un autre Dieu plus affermi dans ses dogmes, plus impartial dans ses choix ? Une perspective vertigineuse s'ouvre à nous. À seulement l'entendre, l'hypothèse nous force à tout repenser depuis le début, depuis Abram le Chaldéen, fils de Terah, l'inventeur du Dieu unique, seul guide, protecteur et juge des hommes. Il faudrait déjà nous convaincre de cette idée, les dieux ont une histoire eux aussi, ils naissent, connaissent les plaisirs de la toute-puissance et les vicissitudes de la vie parmi les hommes, se métamorphosent parfois contre leur gré ou s'éteignent brutalement, détrônés par d'autres dieux ou des adeptes ambitieux. Ils furent immenses et éternels et pourtant leur souvenir ne survit plus que dans les manuels scolaires, les almanachs et les musées. Ah, que sont les grands dieux d'antan devenus : Râ, Aton, Gaia, Zeus, Jupiter, Baal, Tanit, Quetzalcóatl, Mithra, Ahriman, Shiva, Odin, Houbel...? On les regretterait presque, quel panache, quelle magie, quelles merveilles et quelles impensables folies ont-ils inspirées aux hommes, leurs créatures et leurs créateurs ?

Voilà qui rassure, sur le long terme, l'humanité semble bien pouvoir survivre à tous les dieux, elle aura simplement à s'en garder et à les regarder mourir d'eux-mêmes ou se renverser les uns les autres. Au bout, la vie aura réussi le vrai miracle, exister dans l'absolu, c'est un grand soulagement de croire cela.

Bon, ceci est exercice d'école de théologie qui nous éloigne de la réalité. Celle qui importe dans le roman de maman, et le mien à présent, est la terrible actualité de l'année 2015 et son point d'orgue le 13 novembre. Oui, c'est là le véritable début de notre histoire... tout comme le fut quelques mois auparavant la visite de maman à la Maison allemande des émigrés à Bremerhaven qui, par mille petits chemins invisibles, l'avait menée à Ernst et Ute Von Ebert, frère et sœur qui allaient squatter sa vie ou elle squatter la leur... ou leur mémoire.

Mais pourquoi bon sang ? Les psychiatres se poseront la question. Ils parleront du faible qui s'identifie au fort, la petite prof de banlieue, condamnée comme chacun au silence par un système construit sur l'endoctrinement, la peur et la soumission, agressée humiliée par des malfrats de bas étage, qui pour se sauver de l'humiliation se coule dans une sorte de Jeanne d'Arc magnifiée, en l'occurrence Ute, la reine, l'héritière d'une puissante dynastie mondialisée qui parle haut et fort, nomme les choses par leurs noms, interpelle les marionnettes qui gouvernent ces pauvres petits peuples endormis, renvoie les clercs à leur insignifiance, impose sa volonté à tous. On se métamorphose en rêve en super-héros pour rompre le cercle de l'écrasement et de la mort, c'est bien ainsi que l'on survit à ses humiliations. Ce sont ces déchirements qui font que parfois les peuples se transforment en bombes vivantes pour échapper à leur misérable condition et atteindre, par la voie posthume, à la dignité d'homme libre.

Alors que nous menions bonne et active vie en nos nouveaux pays, maman en Allemagne et moi au Royaume-Uni, la France que nous avions abandonnée à son ennui et à ses lamentations explosait sous la violence de ses islamistes, télécommandés par le monstre postmoderne Daech. La barbarie s'est déchaînée sur elle aux quatre coins du territoire, à Paris, Toulouse, Nice, dans l'Isère, à Villejuif, à Magnanville. Comme elle court cette saleté, elle va d'une vie à l'autre par sauts quantiques, pas de protocole, pas de lien ni d'élan, pas de coordination et, miracle, tout s'emboîte pour faire plan, c'est l'univers parfait et merveilleux du chaos islamiste. Le hasard, grand constructeur d'ordre, selon des lois mathématiques implacables, est à l'œuvre, mais le résultat précis comme une horloge atomique ne se voit qu'à la fin, après mille et une donnes aléatoires. Au départ, on voit le doigt du montreur et point du tout la réalité qui crève l'horizon.

Les morts se sont ajoutés aux morts, les pleurs aux pleurs, les cérémonies aux cérémonies, toutes bien dignes, pleines de silences et de non-dits. Après le silence mortel qui abasourdit autant qu'une bombe, il faut bien se remettre à parler et si possible nommer les choses : attentats, vendettas, représailles, guerre éclair, guerre mondiale, banditisme et légendes urbaines, plan de diversion et de déstabilisation, conquête par l'usure, dessein divin ? De quoi s'agit-il au juste et que nous veut-on à la fin ? La question a tourné mais n'a pas trouvé sa réponse, beaucoup de choses ont été dites mais sans rapport avec l'objet. À ce stade, parler c'est accuser, nous dit-on, et personne ne veut fâcher ses amis ou se fâcher avec ses voisins, encore moins décevoir ses clients et ses patrons. Un pays déficitaire a des obligations de retenue, la dignité ne nourrit pas son homme.

Après l'attaque du Bataclan, maman et moi nous appelions au téléphone toutes les heures, à mesure que le bilan s'alourdissait de communiqué en communiqué.

Quelle douleur et quelle terrible humiliation de voir son pays à genoux, tremblant de peur, implorant protection et grâce, et quelle insupportable honte d'avoir des dirigeants aussi nuls. Les peuples, qui après tout méritent ce qui leur arrive, ne devraient jamais accepter de se laisser gouverner par des mauviettes. Mourir de leur insignifiance, c'est mourir deux fois.

Dans les jours qui suivirent, la France se couvrit de points de recueillement et d'émotion, où d'heure en heure s'amoncelaient bouquets de fleurs, bougies multicolores, gentilles peluches et beaux billets pleins d'affection et de solidarité sous le regard pudique des caméras. Le monde admirait cette France qui répondait si bellement à la cruauté de ses agresseurs. Qui a jamais vu chose pareille, au plus fort de son infini amour de l'homme Jésus n'a pas autant donné et pardonné à ceux qui venaient le crucifier. « *N'en croyez rien*, disait-il à ses apôtres incrédules, *je ne suis pas venu apporter la paix mais l'épée.* »

Le lendemain, maman a sauté dans le premier train pour Paris. C'est une vieille France qui parle en elle, quand le pays est attaqué, on ne court pas chez le fleuriste, on ne porte pas le deuil, on ne pleure pas, on enfile son jean, on chausse ses bonnes godasses de randonneur et on va se mettre dans la queue devant la caserne pour monter au front ou se mettre en blouse et foncer à l'hôpital le plus proche du champ de bataille pour donner son sang et veiller les blessés.

Autres temps, autres mœurs. Nous, la nouvelle génération, sommes d'une autre pâte, on se rassemble devant la télé avec les copains, comme on se fait une soirée électorale ou une finale de quelque chose et, entre deux news et deux verres, on s'entend expliquer le désordre du monde par la faillite des grands-pères et le refus de la majorité paresseuse de remettre le pouvoir à la minorité agissante selon la nouvelle règle de l'alternance.

À midi, elle m'a appelée de notre pavillon. Elle avait mobilisé Maria et Giuseppe, dit Beppe, qui ont répondu à son appel comme ils ont toujours fait depuis leur arrivée en France dans les années quatre-vingt. C'est grâce à son acharnement qu'ils ont été recrutés dans son lycée, Maria à la cuisine, Beppe comme agent d'entretien polyvalent. À force de patience et de relance, ils ont obtenu un F2 dans notre banlieue, dans la Cité des Quatre Mille logements, bloc 9, bâtiment 11, au rez-de-chaussée. Pas de chance, le 11/9 a son histoire, il était le O.K. Corral du 9.3 sud. C'est là que les gangs venaient apurer les comptes, à l'ancienne, au bazooka, à la machette de brousse, au katana, à la batte. Sa cave était une boucherie clandestine, on débitait du gros. L'arrivée miraculeuse des Serviteurs a tout arrangé, par décret divin ils ont nationalisé la Cité de bout en bout, douze mille habitants, autant qu'Erlingen, et aussitôt lancé un puissant programme de soumission. Les chefs de gangs furent découpés en tranches et passés à la moulinette et les seconds couteaux désintoxiqués à la batte et versés dans la troupe des Serviteurs au bas de l'échelle, ramasseurs de balles, porteurs de tapis de prière, préposés à la quête. La police, qui se faisait des cheveux blancs et des ulcères chiasseux, fut appelée à faire valoir ses droits à la retraite, et de fait elle a déménagé dans la précipitation, sans le pot d'adieu. Son local fut converti en centre de torture.

Deux collègues du lycée et deux amies de la Cité qui, malgré l'état de guerre, ne craignaient pas trop de s'afficher avec des ressortissants de la Zone verte, ainsi que Maria, se joignirent à elle pour descendre sur Paris se recueillir devant le Bataclan, haut lieu de blasphème pour les islamistes. Que des femmes, des cibles de choix pour les barbus... et Beppe, pour le principe de parité et pour porter les banderoles. Toute la soirée, atelier de peinture et de confection dans le pavillon : préparation des sandwichs, des drapeaux, des brassards, et des affiches avec de bons slogans : « ¡No pasarán! » ; « Vive la vie, à bas la mort ! » ; « Basta les fanas ! » ; « La République vaincra ! »... Ils en avaient préparé plusieurs avec l'idée que sur place ils hisseraient celles qui seraient dans le ton du rassemblement. Pas de provocations, pas de fausses notes.

*

La journée fut longue et héroïque. L'appareil photo et le portable de maman recelaient une centaine d'instantanés magnifiques, des foules denses, graves, la vie qui marche, la vie qui proteste, mais aussi des foules hébétées qui rasent les murs, qui se fondent dans le paysage. Il y avait dans l'air parisien comme une réminiscence à l'envers... Paris outragé, Paris brisé, Paris martyrisé... et Paris occupé !

C'est au retour que le drame se produisit. Il n'était pas loin de minuit, la bande rentrait à sa base par le métro, fière d'avoir apporté sa part à la mobilisation nationale.

À la station République, sur la ligne 5 en direction de Gare du Nord, quatre jeunes islamistes, des malabars patibulaires, entrèrent dans la voiture. Ils rejoignaient probablement la gare du Nord pour attraper le RER B ou D. L'air de mauvais poil. On aurait dit qu'ils revenaient d'une opération suicide ratée à Bruxelles, Toulouse, Londres, Kaboul, Mogadiscio, New York. Ils portaient la tenue réglementaire du moudjahid, blouson sur gandoura, pantalon parachute à mi-mollet, barbe en bataille... et, ne pas oublier, la pastille nécrosée sur le front... et aussi, ajouta Maria, des regards venimeux. Ne manquaient que la kalachnikov, le RPG et le sabre de décapitation express. La mobilisation de la population autour du Bataclan fut une torture pour leur foi, ils avaient vu et entendu des choses qui toutes auraient mérité un vrai châtiment dans un pays habité par d'honnêtes croyants.

L'un d'eux, qui paraissait être le leader, poussa Beppe d'une pichenette distraite et prit sa place sur la banquette. Sous le choc, celui-ci perdit l'équilibre et les affiches s'échappèrent de ses mains. Le moudjahid en ramassa une, elle proclamait en bon français laïque et républicain : « *Halte au terrorisme, l'islamisme ne passera pas !* »

S'il est un mot qui fâche les islamistes, c'est islamisme, il déclenche chez eux des rages de dents. Réduire l'islam à l'islamisme, une hérésie américano-sioniste, est un blasphème passible de mille morts. Ils se sont saisis des affiches, les ont déchirées, piétinées, et s'en sont spécialement pris à maman qui les mitraillait d'injures : « *Sales cons... dégénérés... lâches... pauvres types, islamistes de merde !* »

À la station suivante, Jacques Bonsergent, maman et ses amies se sont précipitées hors de la voiture. Après une hésitation, les quatre voyous se sont levés et éjectés au moment où les portières se fermaient. La station était déserte. Ils ont rattrapé maman et ses amies et se sont déchaînés sur elles, sans oublier le pauvre Beppe, giflant à tour et retour de bras, et décochant des ruades à tomber des murs, ils étaient en transe, partis pour tuer. En voulant se dégager de l'étreinte du chef, maman a perdu l'équilibre et est partie à la renverse sur la voie. Sa tête a explosé contre les rails et a fait le bruit d'une noix écrasée. Elle ne bougeait plus, le sang giclait à gros bouillons, et sa jambe droite était drôlement retournée à partir de la hanche. Après un dernier crachat, les voyous se sont retirés comme des prédateurs repus.

Beppe est descendu sur la voie pour remonter maman. Maria a crié « *La bouge pas, malheureux, tu vas l'achever, regarde s'il n'y a pas un train qui arrive !* », puis a couru au milieu du quai pour actionner le signal d'alarme. Après deux secondes, on l'a entendue expliquer la situation à un lointain interlocuteur qui devait sommeiller devant une batterie d'écrans, « *... arrêtez les trains... arrêtez les trains !* » hurlait-elle.

Le courageux Beppe s'est enfoncé dans le tunnel pour tenter d'arrêter la rame suivante. Il était tard, celle qui venait de partir était peut-être la dernière.

Dix minutes plus tard, la station était envahie, police, SAMU, agents de la RATP.

Installée sur une civière, fermement sanglée, la tête prise dans un collier cervical, maman fut évacuée sur l'Hôtel-Dieu.

Lorsque le téléphone a sonné, à minuit passé, de cette manière particulière lorsque l'annonce d'un malheur est dans le circuit, j'étais devant la télé, branchée sur les chaînes d'info en continu françaises, suivant les mêmes débats en boucle sur les attaques du 13 novembre, et rageant d'entendre ceux qui savent se réfréner pour ne fâcher personne et ne pas se fermer l'accès aux sources, en France et dans les pays musulmans où ils ont leurs entrées, et des places assises pour les plus compréhensifs, et de voir ceux qui ne savent rien tout bien expliquer comme dans une classe. Je tremblais, je sentais que le pire allait frapper à la porte. Maria m'a annoncé la nouvelle sans prendre de gants. Elle m'a assommée. J'ai bégayé un mot, quelque chose comme : « J'arrive. »

Et à treize heures, j'investissais l'hôpital. Maria et Beppe me guettaient à l'entrée. Course à pied. Bureau des urgences, des appels, des va-et-vient, des attentes dans la cohue, des colères, du sang, des larmes. La Bérézina au cœur de la Cité. Un jeune interne souriant, genre « Salut les copains », est arrivé pour me briefer. Je l'ai écouté sans comprendre, ses paroles étaient du bruit venant de loin... comme un orage qui s'annonce, arrivant d'on ne sait où. J'étais suspendue à ses lèvres, j'essayais d'attraper des bribes et d'en faire des phrases : « *... coma profond... soins intensifs... pas visible... les examens se poursuivent... certains prennent du temps... sous-équipé... budgets rabotés jusqu'à l'os... traumatisme sévère avec fracture linéaire... formation quasi établie d'un hématome épidural... ventilation artificielle... séquelles sans doute lourdes... troubles de la conscience... des signes plégiques... troubles symboliques et psychiques... dans deux jours, nous serons fixés, inch'Allah... nous*

aurons un mode opératoire... une première séquence... ah,
il y a aussi une méchante fracture de la hanche et quelques
autres dégâts collatéraux... graves mais... »
« C'est tout ? » me suis-je entendue dire.
« *Il faut prendre sur vous... mettez-vous en relation avec*
le bureau des urgences, il y a des formalités à accomplir. »

Le marathon administratif est épuisant et pas mal absurde
mais il a du bon dans ces circonstances, tant qu'on court
après des papiers et qu'on parvient à les rassembler, on a
l'impression qu'on avance dans la voie de la guérison. On
s'accroche à n'importe quoi quand tout s'effondre autour
de soi.

Avec Maria et Beppe, qui avaient été longuement interro-
gés au moment des faits, je suis allée au commissariat du
11ᵉ m'informer de l'avancement de l'enquête.

« *Elle avance* », m'a dit l'inspecteur chargé de l'affaire en
regardant sa montre.

Blague de potache. Un flic de bureau, ça se voyait, il avait
de la corne et des cicatrices aux coudes.

« Mais encore, vous avez les témoignages des personnes
qui accompagnaient ma mère et j'imagine les vidéos de
la RATP, sauf si tout était en panne ce jour à la station
Jacques Bonsergent. »

« *Vous insinuez quoi ?* »

« Je n'insinue pas, je vous demande en français clair de
me dire si vous avez arrêté les islamistes qui ont agressé
ma mère. »

« *Qu'est-ce qui vous permet de dire que ce sont des islamistes ?... la barbe ?... j'en ai une aussi... c'est la mode.* »

« Il aurait fallu qu'ils portent leurs armes ?... »

« *J'en ai une... suis-je un terroriste ?* »

« Bon, je vois que je vous fatigue, je vais essayer auprès du juge, il m'écoutera peut-être, et s'il me prend de haut, j'irai sonner chez la presse, elle enquêtera peut-être... il y a aussi la Cour européenne de justice, la grève de la faim, les pétitions, les sit-in. »

*

Trois jours après vint un premier soulagement, maman était sortie des soins intensifs, installée dans une chambre spécialisée, sa vie dépendait de la technologie à laquelle elle était branchée par mille fils et autant de tuyaux. Tout cela faisait des bruits étranges et tellement rassurants par leur régularité. Je pouvais la voir mais pas la toucher, ni lui parler. « *Cinq minutes* », m'a-t-on dit.

Mon Dieu, mon Dieu... elle est méconnaissable, la tête bandée, le visage tuméfié... le bassin pris dans un plâtre très inconfortable... est-elle vraiment... vivante ?... mon Dieu, mon Dieu, maman chérie... qu'es-tu venue faire à Paris ?... ce n'est pas de ton âge de jouer les Wonder Woman...

Voyant que j'allais craquer, l'infirmière, qui me surveillait du coin de l'œil, est intervenue à temps : « *Faut partir, madame... même si elle ne les voit pas de ses yeux, elle les sent, ces va-et-vient la stressent, la fatiguent... revenez un autre jour, elle ira mieux, son mektoub est positif.* »

*

Trois jours ont passé sans changement notable. Je ne savais à quel saint me vouer, les médecins ont une façon d'être flous qui rend fou, l'un me dit : « *Nous ne sommes pas sortis du tunnel mais c'est bon signe, ce qui ne s'aggrave pas est en soi positif.* » L'autre me dit : « *La situation est stabilisée, c'est un bon signe, mais je m'étonne* vachement *que la machine ne reparte pas encore.* » Le troisième m'a tuée, il m'a dit « *couci-couça* » avec une horrible grimace et son aide de camp a ajouté avec un sourire défaitiste : « *Mais ça ira, ça ira, la baraka va jouer* ».

Bon sang, quand on ne sait pas on se tait, ou on dit qu'on ne sait pas, on devrait l'apprendre à l'école de médecine, c'est pas plus compliqué que la règle de trois.

Et puis que se passe-t-il dans cet hôpital de la charité, on me dit *inch'Allah*, on m'en remet à la *baraka*, on m'inscrit dans le *mektoub* et on me roule dans le *couci-couça*. *Wesh*... qui a gagné la guerre ? Quelle médecine pratique-t-on ici... la *roqya* ?

J'ai profité de cet entre-deux brumeux pour filer à Londres, rappeler à mon patron que j'étais toujours son employée et à mes amis que je me souvenais encore d'eux. Trois jours à bosser comme aux galères.

À mon retour à Paris, le miracle : maman sortait du coma et reprenait figure humaine. Quel bonheur... mais quel mystère, qui était-elle, d'où revenait-elle ? Sa conscience était ailleurs, quand elle a pu dire quelques mots, si bas que nos oreilles en souffraient, elle parlait d'un monde que nous ne connaissions pas, elle s'exprimait en allemand, s'adressant à des familiers d'une autre vie, d'un ton fatigué mais ferme, autoritaire même, pour elle nous étions Hannah, Magda, Helmut, il lui importait d'abord de savoir ce qui se passait à Erlingen... l'envahisseur... les traîtres du *Gemeinderat*... Stein le nazi... le train... « *Il est venu... est-ce qu'il est venu ?* » insistait-elle...

« *Elle délire* », diagnostiqua l'infirmière. Non, elle n'en avait pas la physionomie, elle avait tout l'air d'être consciente, elle parlait à des gens qu'elle connaissait, les questionnait, voulait des réponses claires, s'énervait en évoquant... Mais de quoi parlait-elle... c'est quoi le *Gemeinderat*, c'est où Erlingen, qui sont Hannah, Magda, Helmut... qui sont ces traîtres et ces lâches ?...

Et l'instant d'après, elle nous regardait avec douceur, elle me demandait avec une petite voix plaintive : « *Léa, quand allons-nous rentrer à la maison ?... Dis-leur s'il te plaît que je suis guérie.* » Puis elle se tournait vers Maria et Giuseppe : « *C'est gentil d'être venus... comment va la Cité ? Avez-vous arrosé les cactus ?... pas trop j'espère, ces choses pourrissent par les pieds...* »

Les jours passant, la forme revenait mais en retour les douleurs s'accroissaient. Je m'en suis étonnée, l'infirmière m'a répondu que c'était normal, qu'il était temps de commencer le processus de diminution des antalgiques... Il faut que le corps réapprenne à vivre par lui-même.

*

L'inspecteur est venu voir maman. Il a été averti par l'hôpital qu'elle était sortie du coma et se trouvait en mesure de répondre aux questions.

Le brave fonctionnaire de police aura été bien gentil de m'autoriser à assister à notre... comment dire, notre interrogatoire ?

« *Madame Potier, pouvez-vous me raconter l'agression dont vous avez été victime ?* »

« Qu'y a-t-il à dire... quatre voyous nous ont agressés dans le métro, c'est tout ce dont je me souviens. »

« *Avez-vous des raisons de penser que c'était une agres-*
sion délibérée, un attentat, ou était-ce une dispute qui a
mal tourné ? »

« Ce n'était pas une dispute mais une agression caractérisée, une vraie sauvagerie. Je ne peux pas dire plus, en
cherchant à me dégager de l'étreinte de l'un d'eux, je suis
tombée sur la voie et... ma tête a explosé contre les rails. »

« *Diriez-vous que votre chute est un accident ?* »

« Ce n'est pas un accident que je suis allée chercher par
mégarde, c'est une agression qui est venue à moi avec l'intention de nous tuer. Mes amis n'étaient pas là en specta-
teurs, ils ont été roués de coups. »

...

Bon, assez parlé des idiots, celui-là ne mérite pas un haussement d'épaules dans notre roman. Maman n'était pour lui
qu'une susnommée dans un procès-verbal d'audition, une
statistique dans un rapport de fin de période, une personne
qui n'avait pas à être là au moment des faits. Si tous les
flics de France sont comme lui, la vie dans ce pays est finie.

*

Je me doutais que le retour à la maison me mettrait face
à une terrible question : que faire maintenant, rester auprès
de maman ou retourner à Londres, reprendre le cours de
ma vie ?

La réponse est arrivée de maman. À peine rentrée à la
maison, elle m'a dit d'un ton qui se voulait sans appel :
« *Bon, Léa, tu as été bien gentille de me veiller comme une*
enfant mais maintenant il faut que tu rentres chez toi et
que tu reprennes une vie normale. T'inquiète pas, je vais

m'organiser, Maria et Beppe passeront me voir tous les jours et en tout cas dès que je peux, pfft, je retourne à Bremen, ma petite Nele me manque, il faut qu'elle poursuive son programme, je m'en voudrais de la voir retomber dans le marasme. Merci d'avoir appelé sa maman durant mon hospitalisation, je me signalerai tantôt pour la rassurer et me rassurer. »

ROMAN

note n° 3

Au croisement de deux histoires

Le temps des lâches

Celui qui cherche à sauver sa vie la perdra.

(Matthieu 10:39)

Les choses se sont installées le plus naturellement du monde, la métamorphose de maman a entraîné la mienne et celle de Maria et Beppe. Qui aurait cru cela ? Je lui téléphonais tous les jours et je me mettais à son diapason, je veux dire que je pouvais tomber sur maman et avoir une conversation bien familiale avec elle, tournant autour de sa santé, des potins et de la popote du jour, comme je pouvais tomber sur Ute Von Ebert, mon autre mère en quelque sorte, et parler avec elle de tout autre chose en liaison avec son monde et ses drames titanesques, les menaces d'invasion et de fin du monde qui pesaient sur lui. Sa conscience basculait de l'une à l'autre sans que rien n'annonce le mouvement, à peine remarquait-on un moment d'absence, un bégaiement, le temps mécanique de passer d'une langue à l'autre, le français et l'allemand, d'un registre latin à l'autre, germanique. Que faire ? Ne pas la brusquer avant tout, je me calais sur elle, je lui parlais en tant que sa fille Léa, ou son autre fille Hannah. À part le fait qu'elle était mariée à un Britannique et que j'étais quant à moi une célibataire brevetée, nous étions deux-en-un, ou un-en-deux, sachant qu'Hannah n'existait que comme rêve dans la tête d'un autre rêve nommé Ute.

C'est drôle, son esprit ne relevait pas le fait que je m'adressais à elle en français quand lui était en mode allemand, ce qui voulait dire que derrière Ute il y avait une Élisabeth qui veillait, écoutait. La conversation se poursuivait l'air de rien, chacun parlant sa langue, parfois la même, parfois non. Avec Ute, j'avais peu à dire puisqu'elle parlait de choses que je ne connaissais pas, je ne comprenais pas, je répondais par des « *genau* », des « *gut* », « *jawohl* », des « *natürlich* », déclinés sur différents registres.

L'exercice n'est difficile qu'en apparence, en coulisses une magie opère en simultané, elle établit d'autres communications qui ne passent pas par les mots. Le caméléon ne se rend pas compte de ses transformations ni du dialogue que son corps entretient avec l'environnement dont il emprunte les couleurs et les formes. Il y a en chaque homme un caméléon qui fait cohabiter en lui différentes identités et exprime celle d'entre elles qui correspond le mieux au lieu où il se trouve.

C'est lors d'un week-end passé au pavillon auprès de maman que j'ai vu cette chose extraordinaire, Maria et Beppe s'étaient eux aussi synchronisés sur ses métamorphoses, l'appelant madame Potier ou Frau Von Ebert selon qu'elle leur donnait du Maria et du Beppe ou du Magda et du Helmut. Pourquoi ce qui est impossible pour moi devenait-il naturel pour eux ? Lorsqu'elle parlait en allemand, ils semblaient la comprendre, et s'ils lui répondaient en italien, maman qui n'en connaissait que des bribes les comprenait aussi bien.

Ce miracle fonctionnait entre eux pour les deux langues, allemand et italien, mais pas pour les deux autres langues, français et anglais. Quel mystère que le cerveau humain, les langues auraient-elles, comme les individus et les peuples, des relations d'amour et de haine entre elles ?

Son docteur, que je suis allée consulter, m'a fait une réponse floue à souhait. Qu'en ai-je retenu ? Pfft... rien... des mots, des phrases... « *La conscience de soi oscille entre mille représentations non maîtrisées... il en résulte une sorte de tournis... le chaos possiblement... mais la tendance à l'équilibre est dans la nature des choses... s'il n'y a pas rupture... la stabilisation prendra du temps... des itérations, des accommodations sont nécessaires...* » Inquiétude ?... « *Oui, si ça dure et s'il y a radicalisation pour utiliser un mot à la mode* (rire idiot)*... le changement de personnalité est définitif, une personnalité efface l'autre... il serait utile de consulter un psy, mais avec eux... hein* (rire idiot). » Et avec lui, hein ! (haussement d'épaules).

Je n'ai pas osé en parler avec Maria et Beppe, ils sont tous les jours avec elle, plusieurs heures, la confusion doit être plus marquée, ils ne sont pas comme moi dans la théorie mais dans la réalité. Laquelle ? Quand ils parlent de l'envahisseur, s'agit-il pour eux de cet être mythique qui fait le siège du monde dans la fantasmagorie d'Ute Von Ebert, ou les Serviteurs universels, cette entité fantôme qui un jour émergerait de l'évolution actuelle du 9.3, ou des islamistes, eux bien réels, qui, barbe au vent, couteau entre les dents, battent la campagne jour et nuit ?

Qu'est Erlingen pour eux, une blague, une réalité allemande, une théorie inventée par Mme Potier ou Frau Von Ebert ? La voient-ils comme ils voyaient leur bucolique banlieue avant… euh… la fin du monde ou la fin de l'Histoire, ou tout bêtement lorsque s'envolèrent les dernières illusions ? Et le train, et l'opération d'évacuation des habitants d'Erlingen, et la trahison du *Gemeinderat*, qu'en pensaient-ils quand Frau Von Ebert en parlait devant eux avec passion et colère ? Songeaient-ils à l'exode d'une partie de la population de la Cité, celle qui était rétive au nouvel ordre religieux ? Leur esprit s'est-il divisé en deux, comme chez maman qui pensait l'un et l'autre monde de manière quantique, passant de l'un à l'autre sans hiatus ? Ils n'ont pourtant pas subi de traumatisme, eux, les deux mondes devaient se heurter dans leurs neurones, comme le mensonge et la vérité se rejettent d'instinct. Le traumatisme serait-il contagieux, transmissible… héréditaire ?

Je me suis trouvée face à des problèmes qui me dépassaient. En toute première priorité, il fallait trancher la question du retour de maman à Bremen, il était hors de question de la laisser s'occuper d'une enfant elle-même instable. Comment le dire et à qui, à maman qui m'en voudrait, à la maman de Nele qui s'en offusquerait ? Prévenir contre ses parents, pourquoi pas s'ils sont un danger pour quelqu'un ou pour la communauté, mais Dieu que c'est vilain.

Le temps réglerait la question, maman était en convalescence, elle était suivie médicalement, son état évoluerait et devait normalement se poursuivre dans la bonne direction.

L'autre souci était cette guerre qu'elle avait déclenchée contre le conseil de notre commune, notre *Gemeinderat*, tout bêtement appelé conseil municipal. Elle l'abreuvait de lettres comminatoires, des réquisitoires que le diligent Beppe courait déposer au bureau d'ordre de la mairie contre accusé de réception. Ils avaient un seul et même objet : dénoncer la faillite du *Bürgermeister*, du conseil municipal, du gouvernement, et des citoyens pour faire bon poids. La lâcheté est partout, arguait-elle, elle est la maladie du siècle, le péché impardonnable, elle signe la fin de l'humanité, le lâche est un homme mort qui dans sa misérable chute entraîne la mort d'un grand nombre de vies innocentes.

Ses propositions ? Elle les rabâchait, elle réclamait des mesures radicales contre... la liste est longue, l'envahisseur, la cinquième colonne, les cohabitationnistes, les fusionnistes, les mondialistes, les attentistes, les indifférents, les tartuffes... Elle insistait sur la pédagogie, son idée était qu'il fallait aider le peuple à retrouver l'esprit d'aventure et de bravoure qui animait les migrants des siècles passés, qui prenaient la route par amour de l'aventure, pour s'enrichir, pour bâtir des empires, pour vivre intensément, pour une vie meilleure en somme. Un homme qui a l'esprit tourné de cette façon regarde l'horizon et au-delà, pas la semelle de ses chaussures. Il n'est pas, ne peut pas être un envahisseur, ni le devenir, la force qui l'anime le pousse à aller toujours plus loin dans son voyage. L'envahisseur est un être sournois et vil, il vient voler, tricher, corrompre, détruire, il faut le bouter hors du monde.

Qui parlait ainsi ? Ute, l'héritière de l'empire Von Ebert, qui voyait l'histoire de braves migrants voguant courageusement sur l'océan de la vie, parfois truands sur les bords comme son aïeul Ernst Von Ebert, mais après si intelligemment généreux à travers leurs puissantes fondations et leurs bonnes œuvres, OU maman, qui sait que derrière cette vision romancée de l'émigration de masse, que rendent si magnifiquement le musée de Bremerhaven et celui de Hambourg, il y a les persécutions religieuses et politiques, les guerres, les spoliations, la misère, l'explosion du capitalisme qui colonise le monde et met ses peuples en esclavage, et qui a trouvé dans la mondialisation le plus grand multiplicateur possible du profit et le plus puissant diviseur possible de l'humanité sous couvert d'une union fraternelle, condition sine qua non de la pérennité de l'espèce et de la planète, et donc de la machine à sous ?

La mairie a réagi. Elle ne connaissait pas cette Ute Von Ebert qui l'abreuvait d'ultimatums, mais l'adresse était bien celle de cette chère Mme Potier, professeure de lycée, une héroïne de l'éducation, fort bien connue des édiles. Une assistante sociale missionnée est venue s'en assurer et, comprenant vite la situation, expliqua à Mme Potier, Ute Von Ebert durant ses absences, que le conseil étudierait avec attention ses propositions et ne manquerait pas de leur trouver une place dans son programme de travail. Il promettait de faire de la commune le premier havre de France. Il plaidait pour un peu de patience, un délai raisonnable, que Dieu lui-même s'était accordé pour créer la terre et l'offrir aux hommes.

Élisabeth-Ute demanda à voir et promit de rester vigilante, et de se rappeler à leur souvenir autant que nécessaire. Elle leva la séance sur un conseil : « *Surveillez bien les envahisseurs et les Serviteurs universels, ils sont partout, et surtout méfiez-vous des traîtres et des lâches, ils sont chez vous, dans le* Gemeinderat. »

*

Comme les choses étaient venues, elles sont parties, un mois plus tard tout est rentré dans l'ordre. Ute ne donnait plus signe de vie. Erlingen s'est dissipée avec la brume traumatique. Maria et Beppe s'ébrouèrent et reprirent leur vie normale de personnes gentilles et reconnaissantes, ils passaient tous les jours au pavillon, aider à ceci, veillant à cela, et en fin de journée, avant que la nuit tombe et rende les ombres méconnaissables, regagnaient la Cité d'un pas prudent. Parfois, quand l'obscurité les prenait de vitesse, ils dormaient dans le pavillon. Découcher leur plaisait bien, ça rompait la monotonie de leur vie et leur évitait d'épuisantes frayeurs. C'est ainsi qu'ils découvrirent que maman passait ses nuits à écrire. Le cliquetis nerveux de son clavier emplissait le silence de la nuit jusqu'à l'aube. Ce marathon la fatiguait beaucoup mais au petit matin ses yeux brillaient étrangement.

Allant mieux, elle reprit langue avec son élève à Bremen, à qui elle téléphonait souvent pour l'encourager à bien réviser ses leçons, en insistant sur l'importance de la précision car elle aiguise l'esprit, et de l'orthographe qui consolide la pensée étymologique, et avec sa mère qu'elle encourageait à résister à son addiction de maman bourrelée de remords et à cesser de gâter son enfant. Elle insistait : « *Soyez raisonnable, pas de folies dont les professionnels accros à la technologie ne rêvent pas, offrez-lui des petites choses, un livre, des jeux de stratégie, un truc marrant, un casse-tête chinois, pas des avions quand même, pas des télescopes que des universités n'ont pas, des studios de télévision que les sociétés de production peuvent à peine louer, enfin ! Et ordonnez aux domestiques de faire montre de courage et* » *de résister lorsque Nele fait sa capricieuse et leur ordonne de se suicider.* » Elle les rassurait sur sa santé et promettait de revenir à Bremen sitôt que sa hanche voudrait reprendre du service actif sans grincer ni hurler.

Note de lecture
d'un livre qui n'est pas encore écrit.

À quoi bon avoir une maison si l'on n'a pas de
planète acceptable où la mettre.

(H. D. THOREAU)

Dans son carnet de notes, maman (ou Ute) avait inscrit :
« Si Henry David Thoreau était parmi nous, il nous l'écrirait ce livre dont nous avons intensément besoin pour nous aider à repenser notre rapport à l'État, au Marché, à la Religion, à la Nature. Ces quatre piliers porteurs de notre vie et de notre civilisation donnent tous les signes d'un effondrement imminent, rongés qu'ils sont par un mal surpuissant : le cancer du béton, l'usure du temps, le modernisme artificieux, la mondialisation qui distend les liens humains et renforce la chape de l'inhumain argent-roi, la surpopulation, la bougeotte massacreuse du touriste, le tournis des modes, le trouble obsessionnel compulsif des chefs, l'incurie des élites, l'inculture des féodaux, l'attaque au carbone radioactif des esprits et de la nature, quoi d'autre, la mort des abeilles, la prolifération des moustiques et des rats, le trop-plein des milliardaires, etc., tout pousse dans le même sens : la fin. »

Dans la marge, en petits caractères discrets, elle avait ajouté « l'islamisme qui attaque l'humanité dans son code génétique ». Puis elle avait souligné rageusement ces mots de deux traits rouges.

Le transcendantaliste fervent qu'il était disait que les religions corrompaient les hommes comme la pollution corrompt la nature, on aimerait tout spécialement connaître son avis sur la situation de nos banlieues : sont-elles en voie d'éjection de l'orbite nationale, comme l'étaient les tribus indiennes dans son pays, sont-elles prises dans un processus séparatiste comme l'étaient les États confédérés du Sud, ou de rattachement à d'autres nations, ou sont-elles simplement en attente d'un découpage administratif qui redistribuerait à leur profit les cartes de la chance ?

Maman avait tous ses livres dans sa bibliothèque. Je m'y suis intéressée et emportée par l'élan, je les ai lus et j'ai fouillé un peu ici, un peu là pour en savoir davantage. Cet homme était tout bonnement la réincarnation de Rousseau dans le Nouveau Monde.

Peu dans nos régions tempérées connaissent ce penseur américain du XIXe siècle et ceux qui en ont entendu parler ignorent combien à travers le monde il a influencé de philosophes, d'économistes, de sociologues, de politiciens, de naturalistes, d'écrivains, et de grands et insaisissables esprits qui mettaient le souci de l'humanité et de la planète avant l'intérêt de leurs rois et de leurs dieux. Il a dénoncé et combattu l'esclavage, l'oppression de l'État, la dictature du marché, la tyrannie de la religion, maladies dont nous souffrons encore et encore, jusque dans nos sociétés modernes, riches, démocratiques, policées et si bien hiérarchisées. Et pour attester du bien-fondé de son idée cardinale qui lui faisait dire que la simplicité est l'essence de la vraie vie, il a vécu en ermite deux années, deux mois et deux jours durant, seul dans la forêt, en un lieu de rêve, généreux comme un paradis, nommé Walden, se nourrissant du fruit de son travail, du souffle magique de la vie sauvage et de bonnes et longues méditations.

Il me vient à l'esprit une belle hypothèse : si les écologistes du monde entier se retiraient comme lui dans des ermitages naturels pour y vivre de leurs potagers et de leurs nobles pensées, le problème de la santé de la planète prendrait une autre tournure, on cesserait de parler des écologistes et de leurs états d'âme pour enfin parler d'écologie et de saine philosophie. Pour autant, on refusera de conclure que l'écologie se meurt d'avoir engendré des écologistes en ville et pas des ermites dans la forêt. On dira simplement que la force de l'acte est plus grande que la force de la parole.

Ce n'est pas parce que ce livre n'existe pas, n'a pas été écrit qu'on ne peut pas en parler. Maman a longuement et utilement disserté sur le plus que jamais très hypothétique *De tribus impostoribus*, je peux donc me permettre de dire deux mots sur le contenu d'un livre que je souhaite voir écrit un jour sous le possible titre de *Thoreau ou la vraie vie*.

Que nous dirait-il, qu'aimerions-nous le voir démontrer dans cet opuscule ? Nous ne partons pas de zéro, nous avons son œuvre, une dizaine d'opus dont *Walden ou La vie dans les bois*, *La désobéissance civile*, *Résister...*
Mais encore, que nous dirait-il de notre époque, serait-il impressionné par nos succès ? Des hommes comme lui ont un autre regard, ils ne se laissent pas abuser par ça, le déguisement, le clinquant, l'apparat, le sensationnel, la profusion,

les rodomontades, le maniérisme, le chiqué, et pas plus par cet air de sainte supériorité que les meilleurs d'entre nous promènent en ville comme la baronne Matuvue promène son chihuahua et ses diamants. Le jour même de son arrivée, il s'écrierait : « *Par tous les diables de l'enfer, que le monde a régressé !* » Il le verrait à mille détails que nous ne distinguons pas, ayant le nez dessus depuis l'enfance. Enfin, déjà cela, il nous dirait ce qu'il voit et que nous ne voyons pas, cela ferait bien la première partie du livre.

Il nous dirait ensuite son étonnement devant l'évolution de l'esclavage, marginal en son temps, ne touchant en Amérique que les Noirs et les États confédérés du Sud, généralisé aujourd'hui à toute la planète. Il n'y a plus que ça sur ce caillou, des négriers et des forçats, et de pauvres retraités livrés à la traite des voyagistes et des tour-operators. Mais c'est bon sang vrai, comment ne l'avons-nous pas vu ?

« *Où sont vos hommes libres… les descendants des fiers Gaulois ? Qu'est-ce donc qui a été aboli chez vous, l'esclavage ou la liberté ?* » nous demanderait-il.

Les Gaulois ?… Qu'est-ce que c'est ?

« *Et les autres, les Romains, les Francs, où sont-ils passés ? Et les Espagnols ? Et les Allemands ? Qui sont ces Européens à tête obtuse qui les ont remplacés, que produisent-ils et de quoi se nourrissent-ils ?* »

L'explication arriverait vite à mon avis. Jadis le colon, soucieux de préserver son patrimoine, logeait, nourrissait, habillait, formait, soignait, protégeait son esclave. Il y avait des lois pour ça. Le faire trimer n'était pas sa seule tâche. On comprend qu'avec le temps, l'évolution des coûts et les mesures libérales dispendieuses prises en faveur de l'esclave, il lui revenait de plus en plus cher. À l'achat il n'était carrément plus abordable. Mais comme le colon lisait la Bible et savait tirer une sainte compensation de son sacrifice, il se montrait patient, la Providence y remédierait. Ce qu'elle ne fit pas. L'esclavage était condamné. Son expansion n'a pas été freinée par des injonctions morales ou l'acharnement des abolitionnistes, mais tout bêtement par des considérations comptables, l'esclave est ruineux, et laisser dépérir son patrimoine, offert par Dieu, est un grand péché et un délit passible des tribunaux. Douloureux dilemme. Dans ce livre attendu, Thoreau nous révélerait quelle extraordinaire intelligence l'esclavagiste a développée pour arriver à la perfection actuelle. Son onéreux esclave, il l'a affranchi, conformément à la loi sur les droits de l'homme, et aussitôt l'a repris à son service en tant que salarié. Et ainsi par ce sympathique jeu d'écritures qui l'a fait passer pour un homme de progrès, il a renversé la situation à son bénéfice : au lieu de continuer ad vitam aeternam à pourvoir aux nécessités de l'esclave et de sa famille, il en a fait un employé, un contractuel à durée déterminée, et lui a refilé à échéance convenue un petit salaire pour se dépatouiller tout seul, sur lequel l'État, bras séculier des patrons, a prélevé une part pour lui fournir une allocation d'appoint, quelques menus services et préparer sa progéniture à la relève. En jouant sur les réglementations, les loyers et autres puissants leviers, il se formera une armée de chômeurs prêts à se vendre pour rien et des salariés prêts à payer les patrons via les subventions publiques pour qu'ils les gardent à leur service.

Le clairvoyant Thoreau s'étonnera sûrement que les seuls hommes libres, les chômeurs de longue durée, soient si tristes et si impatients de retrouver leurs chaînes, mais il découvrira vite le mystérieux et très virulent syndrome de Stockholm et comprendra pleinement le mécanisme hyper chiadé qui unit l'État, le syndicat des patrons et celui des travailleurs pour amener l'esclave métamorphosé en salarié syndiqué assuré social à s'estimer heureux et plein d'espoir pour l'avenir. L'instauration des congés payés a parachevé le plan, Salariat, Sécurité sociale et Loisirs de masse faisaient jonction pour former la Trinité d'une nouvelle religion : la Mondialisation matérialiste heureuse.

On aimerait l'entendre sur le projet alternatif porté par les Serviteurs universels, visant une mondialisation à la fois charnelle et mystique, bien plus glorieuse, axée sur un autre triptyque, Soumission, Guerre sainte et Pèlerinage. Il appréciera sans doute leur frugalité, c'est la meilleure recette pour la santé de l'homme et de la planète. Et si chez eux la natalité va vite, la mort la devance en efficacité, nul débordement n'est à craindre. Plus vite va le renouvellement des générations, plus sain sera le sang des bienheureux. Et, atout essentiel, le soumis est le dernier à vouloir se libérer.

Ah ça, il aura du boulot à abattre pour nous expliquer comment sortir du piège de l'esclavage moderne. Malgré ses airs de bon sauvage, Thoreau n'était pas un pacifiste, il se mobilisait au pied levé pour toutes les bonnes batailles, il nous conseillerait bien la révolution s'il ne savait qu'elle est affaire d'hommes libres, chatouilleux sur le principe, ce que nous ne sommes pas.

La question du fanatisme nous intéresse au premier chef. Ce fléau moyenâgeux est revenu sur terre alors que les dieux et les prophètes, les uns après les autres, ont depuis longtemps disparu dans la tourmente des siècles. Les derniers, qui refusent de mourir, nous le font chèrement payer. Nous attendons une réponse claire de sa part, la question torture les esprits, grands et petits, mais aura-t-il un avis fondé sur le sujet ? En son temps, en Amérique, que savait-on de l'islam ? Rien, même si vingt à trente pour cent des esclaves étaient musulmans. Les planteurs de coton et de pastèques croyaient que cet islam radoteur était un cousin du vaudou, un faux nez, ils laissaient faire, ça nourrit la libido du pratiquant, ce qui est profitable, et ça enseigne le fatalisme et la soumission, ce qui est un bonus.

Cet islam déraciné s'est vite dissous dans l'Amérique profonde pour reparaître plus tard, après l'abolition de l'esclavage et son remplacement par la ségrégation et le salariat, en de nombreuses sectes dont la turbulente NOI, Nation Of Islam, créée en 1930 (peu après la naissance de la Société des Frères musulmans, créée en 1928 par un certain Hassan el-Banna) par le Messie-Mahdi autoproclamé Wallace Fard Muhammad, dont sortiront les principaux fondateurs du Black Panther Party, Eldridge Cleaver, Malcolm X (surnommé Satan), Elijah Muhammad, et dont le maître aujourd'hui est Louis Farrakhan, surnommé par ses amis et ses ennemis The Black Hitler.

Non, véritablement, le plus dur pour l'ermite de Walden sera de nous convertir à sa religion à lui : l'amour de la nature comme foyer d'accomplissement de l'humanité. Notre vie n'est possible que sur ce caillou en orbite à bonne distance autour du soleil, nous le savons, mais la nature qui nous a beaucoup donné a oublié de nous doter de la vue longue et de la pensée persistante. Tout glisse sur nos plumes. Et très vite, personne ne sait pourquoi il a mis des nœuds à tous ses mouchoirs. Il faut craindre que nous ne décevions le brave Thoreau, nous avons si excellemment agi que la terre n'est plus qu'un tombeau pollué en chute libre dans le cosmos.

Notre philosophe qui savait trop bien son siècle et ses travers saura-t-il comprendre le nôtre et nous l'expliquer ? S'il nous aidait à abolir le nouvel esclavage et à éradiquer les formes aiguës de soumission, ce serait déjà merveilleux.

Voilà pourquoi il faut prier pour la réincarnation urgente d'Henry David Thoreau, béni soit-il.

ROMAN

note n° 4

Au croisement de deux histoires

*Un train peut en cacher un autre, comme une
déportation peut en annoncer une autre.*

Warnings – consignes de sécurité des Chemins de Fer

Je me suis posé la question de la contenance d'un train
de voyageurs. Je me situe dans le cas de figure qu'Ute Von
Ebert nous présente dans son récit : l'évacuation urgente
par train de toute la population d'Erlingen, soit douze
mille habitants environ. Prétextant la pénurie de carburant, l'état de la voie ferrée et l'insécurité dans l'arrière-
pays, le *Landesregierung*, le gouvernement du Land, avait
estimé ne pas pouvoir organiser plus de deux rotations pour
achever l'exode.

Si l'on retient qu'un train standard compte huit voitures
d'une capacité totale de six cents passagers, il se déduit qu'il
a été décidé, toute considération de confort, de sécurité et
de dignité mise de côté, d'en charger six mille d'un coup,
soit dix fois plus. Cela est-il possible ? Cela est-il faisable ?
S'est-il, bon sang, oui ou non, trouvé quelqu'un pour rappeler au *Landesregierung* qu'il s'agit d'un sauvetage d'êtres

humains et non d'un transport de bétail pour l'abattoir ou de déportés pour le camp d'extermination ? Une telle foule dans un espace prévu pour six cents personnes implique que le train soit vidé de tout ce qui occupe de la place, sièges, bar, toilettes, et que les gens voyagent debout, serrés les uns contre les autres autant qu'il est possible. Si on effectue les calculs sur la base de cinq personnes par mètre carré, il appert que l'espace en voiture est loin de suffire, il faut passer à la méthode indienne, placer les enfants dans les porte-bagages, les jeunes sur les toits et en insérer le plus possible entre les voitures, en équilibre sur les tampons et les tuyaux hydrauliques, accrochés les uns aux autres. Les obèses seront refusés, les malades et les handicapés aussi, personne n'acceptera de partager avec eux le peu de chances de survie qu'il y a.

Le voyage se déroulant sur cent vingt kilomètres, soit quatre à cinq heures de temps dans ces conditions de parfaite instabilité, il a vraisemblablement été décidé de marquer des haltes fréquentes pour permettre aux voyageurs de reprendre leur souffle et de dégonfler les tensions explosives. Quelles que soient les hypothèses, les calculs aboutissent tous à la conclusion que le train emportera quatre à cinq mille personnes tout au plus. Cela veut dire qu'au terme des deux rotations, il restera sur le carreau un bon quart de la population. L'hypothèse évoquée par le *Landesregierung* d'organiser des trains plus longs avec une locomotive d'appoint et d'envisager une troisième rotation n'est pas examinée ici, ce qui ne se décide pas fermement au début doit être vu pour ce qu'il est, une promesse ayant pour but de rassurer la population et de lui faire accepter les contraintes d'une évacuation musclée et partielle. C'est une loi de la vie, il y a les perdants et il y a les gagnants, comme il y a les nombres premiers et tous les nombres qui ne le sont pas, il n'y a pas de raison qu'un jour il en aille autrement. Les recalés devront se débrouiller, fuir par leurs propres moyens, se barricader et se battre jusqu'à la mort ou se livrer à l'envahisseur et implorer sa pitié.

L'exemple est théorique, Ute, sa dynastie, Erlingen et les menaces qui pèsent sur sa population sont nées à l'intérieur du coma de maman, mais théorique ne veut pas dire dénué de sens et de réalité, l'exemple renvoie à une problématique générale bien réelle : la condition de cette portion congrue de la population d'une ville, d'un pays, du monde, qui de toute éternité est vouée au sacrifice. À l'échelle géopolitique, on parle de tiers-monde, ou de quart-monde pour, selon l'intention du moment, suggérer qu'il y a eu progrès ou au contraire aggravation dans la répartition des chances et des richesses.

La vie choisit les locataires de ce monde résiduel parmi les pauvres et les malchanceux, cela est clair, mais comment sait-elle qui l'est et qui ne l'est pas ? Comment s'opère le tri, comment sur les douze mille habitants d'Erlingen tiendra-t-elle son compte pour qu'à la fin restent en rade, Gros-Jean comme devant, les pauvres et les malchanceux de la ville ? L'ordre intime du monde est ainsi, le plus lourd va par le fond, et le pauvre rejoint naturellement le réprouvé et le malchanceux dans le trou. Tout cela serait naturel et ne procède pas forcément de l'intention. Les profiteurs ne feraient qu'obéir à une réalité immuable : la chance se tient fermement de leur côté. « *Dieu ne joue pas aux dés* », c'est sciemment qu'il donne au gagnant ce qu'il enlève au perdant. « *Celui qui croyait au ciel, celui qui n'y croyait pas, tous deux adoraient la belle* », mais las, la belle, et c'est naturel, se donne tout entière à celui qui est grand, beau, riche et chanceux. Arrière malheureux, la vie ne t'aime pas et elle a raison, il n'y a aucun profit à te fréquenter. C'est cette fatalité qui m'a chassée de la France et exilée au Royaume-Uni.

Le récit d'Ute ne nous dit pas comment se termine l'histoire d'Erlingen : le train est-il venu, comment s'est déroulée l'évacuation ? Maman nous a laissés sur notre faim, c'est frustrant. Il s'est passé des choses extraordinaires dans cette ville, assiégée par des êtres inconcevables, surgis de partout et de nulle part, qui auraient entrepris de conquérir le monde d'une manière peu banale, par petits bouts gagnés à la marge, à l'insu des foules, par l'invisibilité, l'usure, la rumeur, l'envoûtement, par la peur noire que suscite leur supposée existence. Il y eut un long et épuisant siège sans véritable armée en face, seulement des ombres fugitives, des mouvements imperceptibles, des suppositions folles, des alertes arrangées, des paniques larvées, des retraites anticipées. Le vent de la trahison et de la reddition a traversé la ville et pourri les esprits. Des révolutionnaires fumeux mais authentiques selon le canal historique III ont ajouté à la déroute... Quoi qu'il en soit, à Erlingen comme partout dans le monde et de tout temps, les derniers sont et resteront les derniers. Quand un train vient sauver, il emporte le gratin, et quand il vient dégager les lieux, il emporte le rebut de la société.

Après le bateau qui a élargi les horizons et peuplé la planète, les continents et les îles les plus lointaines d'hommes libres et d'esclaves, le train a été de tous les grands chapitres de l'Histoire, toutes les aventures, toutes les invasions, toutes les guerres, toutes les déportations. Et maintenant que nous sommes près d'entrer dans le futur et de gagner les étoiles, voilà que l'Histoire faisant retour sur elle-même nous ramène à l'exode à pied, sans autre boussole que l'instinct de survie. Et voilà que des millions de personnes vont de nouveau par les routes en files interminables, elles viennent du fond de l'Afrique, de la lointaine Asie et de ce Proche-Orient perdu dans son passé, et toutes convergent vers le nord bienheureux, mais demain sans doute, très naturellement, le mouvement s'inversera, on marchera du nord au sud, vers les confins abandonnés du monde. La terre étant ronde, ce qui part d'un côté revient de l'autre, par la géodésique du malheur. Au bout, au terminus, quand la force viendra à se tarir, un spectacle grandiose se déroulera sous le ciel, la population mondiale n'ayant plus de destinations, ni de pays, de racines et d'histoires, et plus d'avenir sur terre, ni d'ambitions dans les étoiles, elle se massera au bord du vide, immobile et silencieuse, les yeux levés au ciel et...

Que cherchent-ils au Ciel, tous ces aveugles ?

Le visionnaire Baudelaire le savait-il ? Non, mais s'il était là parmi nous, que nous dirait-il, mes frères ? Sans doute cela, qu'au demeurant nous savons par cœur :

Leurs yeux, d'où la divine étincelle est partie,
Comme s'ils regardaient au loin, restent levés
Au ciel ; on ne les voit jamais vers les pavés
Pencher rêveusement leur tête appesantie.

Choyés plus qu'ils n'en pouvaient, les habitants d'Erlingen ont fini par oublier qu'ils avaient des pieds et des jarrets, du moins l'usage qui peut en être fait. Si un ami le leur avait rappelé, ils auraient tout naturellement accompli cette chose vitale, se mettre debout et marcher vers le salut. L'humanité devra en urgence réapprendre la vie, il y va de sa survie, un jour, comme à Erlingen, les machines manqueront de carburant et aucun train ne viendra la sauver. Le temps du train touche à sa fin, c'est sûr. Dernière annonce. Les déportations, elles, continueront. Sous les menaces et les coups, même les morts peuvent marcher.

ROMAN

note nº 5

Au croisement de deux histoires

Le mystère de la chambre verte

La réflexion m'est venue en relisant *La métamorphose* de Kafka. Je cherchais une piste, je voulais découvrir ce que cette historiette avait de réellement extraordinaire pour avoir à ce point perturbé maman, son cerveau traumatisé l'entraînant dans un mouvement perpétuel de transformation d'elle-même et de ce qu'elle approchait. Un déterminant primordial a bougé en elle, mais quoi, le référentiel de base ou ce qui fait le continuum des choses, qui en cas de fissure même infime annonce d'inéluctables effondrements, comme la brisure d'une brique préfigure l'écroulement du mur dans lequel elle est insérée.

Pourquoi le traumatisme crânien a-t-il activé ce fichier rangé dans un coin de son cerveau depuis des décennies plutôt qu'un autre est une question ; il y a un signe dans ce choix.

Kafka a poussé loin le jeu, ce qu'il imagine est absurde, la transformation d'un homme fait d'os, de chair et de sang en un insecte géant cuirassé rempli de choses gluantes n'est crédible dans aucun scénario. Il y a un principe de continuité et de cohérence dans la vie, c'est ça le tropisme vital, elle n'est plus au temps des premiers sauriens où, faute d'ancrage biologique profond, elle se combinait selon les seules lois du hasard.

C'est au moment de refermer le livret, un peu déçue, qu'une question se concrétisa dans ma tête : qui est mort dans ce conte noir, le jeune Gregor qui, par on ne sait quel sortilège, s'était quelques jours plus tôt métamorphosé en cafard, ou le cafard ? Si c'est l'insecte, alors Gregor est vivant, il a seulement disparu. Où ? Pas de cadavre, pas de mort. Si c'est Gregor qui est mort, où est son cadavre et de quelle façon sa mort a-t-elle affecté le cafard ? S'étaient-ils fondus l'un dans l'autre pour former une tierce entité, mais est-ce là ce qu'on appelle une métamorphose ? Ce questionnement est pure spéculation de lecteur, à aucun moment Kafka ne dit que Gregor et le cafard se confondent, il dit simplement qu'un matin sa sœur est entrée dans sa chambre et a trouvé sur son lit un insecte monstrueux qui se briquait voluptueusement les antennes avec ses bras télescopiques. Je ne comprends pas pourquoi il précise que l'insecte puait la charogne, on ne sache pas que ces bêtes, à part la punaise écrasée, ont même une odeur, chose plutôt spécifique aux mammifères, mais bon, il le dit plus sans doute pour renforcer l'impression d'horreur de la situation que par souci de réalisme. On en vient spontanément à penser que Gregor s'est transformé en cette chose. Croire c'est accepter de se laisser abuser. S'il était maître de son jugement, le lecteur aurait pensé que Gregor a été dévoré par l'extraordinaire insecte ou qu'il a fui la maison pour lui échapper, mais voilà, et toute l'habileté de l'auteur est là, le titre de la nouvelle, *La métamorphose*, nous enferme dans sa logique avant même que nous ayons lu le premier mot de la première phrase.

En parcourant les lettres et les notes de maman qui citaient abondamment Kafka et son étrange fabliau, je me suis d'emblée enfermée dans des logiques suggérées qui n'avaient certainement rien à voir avec la réalité à laquelle je serais parvenue par moi-même. Maman avait rassemblé les éléments d'une saga qu'elle voulait écrire, pour remplir ses journées de retraitée et sacrifier à un devoir pédagogique, et tout naturellement, comme des écrivains peuvent se prendre de sympathie pour l'un ou l'autre de leurs personnages, elle s'est spécialement intéressée à Ute, dont elle a fait son héroïne et l'héritière de la dynastie Von Ebert. Elle lui a prêté ses qualités et ses défauts et a emprunté les siens. Qui se ressemble s'assemble et qui s'assemble finit par fusionner. L'idée qu'il ait pu exister un pont praticable dans les deux sens entre les deux femmes me turlupine. Si je vois comment la Française Élisabeth est arrivée à l'Allemande Ute, qui a vécu à la fin du XIXe siècle dans les parages de Düsseldorf (si c'est bien de cette Ute qu'il s'agit), et qu'elle a déplacée dans notre époque à Erlingen, ville qui n'a de réalité ancrée nulle part en Allemagne, pour en faire la châtelaine toute-puissante, mieux une sorte de Jeanne d'Arc à la retraite qui veut bouter l'envahisseur, non pas le perfide Brit mais un phénomène proche du bigfoot arrivé d'on ne sait quel sixième continent, il n'existe en revanche aucun chemin qui aurait permis à l'Allemande Ute de rencontrer la Française Élisabeth, prof d'histoire dans un lycée séparatiste d'une lointaine exobanlieue, dans la galaxie France, démantelée par le phénomène de la décolonisation et condamnée à l'extinction par décret divin irrévocable, elle n'est au surplus qu'un objet littéraire, un personnage de rêve, elle n'existe pas... et pourtant... nous-mêmes n'existons que par nos créations, nos fantasmes, ils nous créent autant que nous les créons. Gregor était dans l'insecte et l'insecte était dans Gregor et cela avant que Gregor et l'insecte ne se rencontrent. La fantasmagorie prend corps pour le lecteur lorsque la sœur entre dans la chambre du frère et découvre l'horrible blattoptère, conformément au plan que l'auteur a conçu pour nous imposer la question de la métamorphose comme thème de méditation, le but de l'exercice étant de découvrir qui est sujet et qui est objet dans l'opération. Encore l'œuf et la poule. La réponse est peut-être là, on ne se transforme qu'en ce qui est déjà en nous, il y a dans l'affaire un principe vital à l'œuvre. « En l'un est le tout » est une vérité première. Tout se transforme en tout. Si le vil plomb se transmute en or solaire, c'est parce qu'en eux sont les mêmes constituants fondamentaux des métaux, le trinitaire mercure-soufre-sel des alchimistes, il suffit d'en modifier les proportions, moins de ceci, plus de cela, une autre pincée du troisième et une bonne cuisson au feu secret dans l'athanor ou le cyclotron. La continuité et la cohérence doivent probablement se penser sur une base dépassant le cadre de la matière, l'univers est aussi une intention, une onde, une virtualité.

Autre question, une conscience altérée peut-elle influencer la conscience d'autres personnes, qui ont leurs hallucinations propres, et produire des effets sur le cours des choses ? Je sais que le sujet a été exploré par certains écrivains de l'extrême, à travers l'histoire de personnes qui, en temps de guerre par exemple, ont subi des traumatismes physiques et psychiques gigantesques, répétés jour après jour, dans des contextes éclatés où aucune loi humaine ou divine ne fonctionne. Ce qui en sort défie l'imagination, ce n'est pas dans le dictionnaire qu'on trouvera les mots pour dire ce monde. Il faut que de vrais écrivains de l'extrême viennent les inventer ou les extraire de leur inaccessible minière.

Qu'importe la souche des choses et les implications à distance ou en différé, la question qui m'agite est : qui a squatté l'autre et qui est morte, Élisabeth Potier ou Ute Von Ebert ? Le deuil n'aura pas la même signification pour moi dans un cas ou dans l'autre. Je veux savoir quelle était la personnalité active dans ces moments intenses qui ont précédé le décès de maman. D'après ses notes et l'historique des opérations de son ordinateur, elle était dans le corps, l'âme et l'esprit d'Ute, et dans un moment de grand désarroi, mais peut-on faire confiance à un ordinateur ? À quel serment de vérité obéit-il ? Connaît-il lui-même ses failles de sécurité ? Dans le tout dernier passage de son texte, enregistré le soir de son décès, Ute reprenait ses infatigables récriminations contre le *Gemeinderat* d'Erlingen, contre l'inépuisable bêtise du peuple et contre l'infernale duplicité de ceux qui se posent en gardiens de sa tranquillité, et se lamentait à la mort de ce que l'envahisseur était aux portes de la ville.

À mon avis, dans l'alinéa qui suit, Ute annonçait sa mort et le chemin par lequel elle surviendrait :

« *Notre funeste erreur face à l'ennemi aura été la colère. Écrasés par nos peurs et nos angoisses, nous avons cessé de réfléchir et nous nous sommes laissés gagner par le morbide attrait de la soumission ou celui de la furie destructrice. Rabaissés à ce point, nous lui avons cédé le beau rôle du vainqueur magnanime qui, désolé et prêt à aider, regarde le fou trépigner et appeler à la mort. Et nous voilà piégés, l'abominable ennemi a su nous abaisser au rang de singes, de porcs et de chiens dégoûtants et nous museler, et se parer, lui, des plus merveilleuses qualités de Dieu. Quand le sinistre craquement de l'effondrement se fait entendre il est trop tard, ce qui commence va à son terme. Arrivés à ce point de bassesse, se relever est surhumain, la suite de l'histoire se fera et s'écrira sans nous... la colère me brise le cœur, il va me lâcher... »*

*

Maman est morte, foudroyée par une crise cardiaque. En arrivant ce matin, ayant en chemin fait provision d'une baguette et de quelques croissants, Maria et Beppe l'ont trouvée allongée dans la cuisine, elle s'était traînée jusque-là pour prendre ses cachets, elle les tenait serrés dans sa main. Sa vie s'est arrêtée devant l'évier. Selon le médecin, elle serait morte peu avant l'aube.

Le jour même, je suis arrivée de Londres. Inutile de m'étendre sur l'ouragan qui me ravageait, j'étais une plaie vivante, je me traitais de tous les noms, j'avais abandonné ma mère alors qu'elle était incapable de faire face aux mille problèmes de la vie domestique, écrasants pour une personne handicapée, traumatisée, plongée dans un trouble psychique dont je commençais enfin à percevoir l'effroyable profondeur. Maria et Beppe étaient là et faisaient pour le mieux, mais c'était la nuit, lorsqu'ils rejoignaient leur tour du 11/9, que les angoisses sortaient de leur tanière et venaient harceler les âmes blessées. Maman était courageuse et là est le hic, le courage incite à présumer de ses forces, elle les avait totalement épuisées. Elle était ainsi, elle a toujours prêché le dépassement sans beaucoup tenir compte de la consistance des atouts et des réserves.

*

Que pouvais-je faire ? Écrire l'histoire, comme maman me l'a demandé.

Je vais m'y atteler.

Bonjour, chère mademoiselle Léa,

J'espère que vous allez bien. Maria et moi n'arrivons pas
encore à nous faire à la disparition de votre maman, notre
chère madame Potier à qui nous devons tant. La vie nous
paraît bien vide. Croyez-moi, on ne s'ennuyait pas, avec
elle l'histoire était une réalité au présent et le quotidien une
aventure passionnante. Nous ne sortons plus maintenant de
notre petit logis, la Cité nous devient insupportable. Nous
envisageons sérieusement de retourner en Italie dès cet été,
cette France n'est pas la nôtre, elle nous effraie et nous
ennuie, pardon de penser cela de votre cher pays.

Nous avions plusieurs choses à vous dire mais vous étiez
si malheureuse et si accaparée par toutes ces démarches
administratives que nous avons choisi d'attendre et de vous
écrire à Londres.

La première chose, que nous aurions voulu vous dire
de vive voix, est que nous sommes vraiment fiers d'avoir
connu votre maman et de l'avoir servie. Elle s'est montrée
très généreuse envers nous, de mille manières. Je tiens à
vous apprendre qu'elle nous avait donné six cents euros

grâce à quoi Maria a fait des soins dentaires qui ne pouvaient plus attendre (240 euros), j'ai remplacé mes lunettes (110 euros) et réparé notre vieux chauffe-eau (250 euros). Nous ne les avons acceptés qu'à la condition qu'elle les reconnaisse comme un prêt à tempérament car nos petits salaires de vacataires nous suffisent à peine pour vivre au jour le jour, ce qu'elle a promis mais elle a toujours refusé les sommes (30, 50 ou 70 euros selon les mois) que nous lui proposions en remboursement. Malgré ses refus, nous avons mis cet argent de côté. Il vous revient. Nous aimerions vous le faire parvenir avant notre départ pour l'Italie.

Le deuxième point concerne son agresseur. Après sa sortie de l'hôpital et son retour à la maison, elle a eu comme une révélation, des images lui sont revenues en mémoire, celles de son agresseur, celui qui s'était acharné sur elle... elle le connaissait ! « *Mais oui, bon sang, c'est le petit Laziz, déguisé en sale islamiste en guerre contre le genre humain !* » s'est-elle écriée. Elle l'avait eu comme élève quelques années auparavant, il lui avait donné du fil à retordre, le gamin était difficile. À seize ans, son avenir criminel était tracé. L'année d'après, il a été renvoyé du lycée, avec ses lieutenants et la moitié de sa katiba, son casier était plein, sa fiche S était rouge vif. Elle se souvenait de son nom : Laziz Boufliki. À sa demande, j'ai cherché et découvert qu'il habitait la zone 5 de la Cité, bâtiment 21, troisième étage. Discrètement, j'ai contacté sa famille pour l'inviter à venir rencontrer son ancienne professeure. Le père a refusé, il avait peur que son fils n'apprenne sa démarche et ne le tue, mais la mère a aussitôt enfilé sa djellaba. Je ne sais pas ce que votre maman lui a dit mais j'ai compris qu'elle lui avait conseillé de signaler son fils à la police et d'engager pour lui une procédure de déradicalisation avant qu'il ne soit trop tard. En la raccompagnant dans son bloc, elle m'a dit que si son fils apprenait ce qu'elle allait faire, il la battrait et partirait pour la Syrie. Ce garçon m'avait moi aussi violemment agressé, j'aurais aimé le voir en prison mais je me suis soumis à la décision de votre mère de ne pas communiquer le renseignement à la police. Je ne crois pas que ce voyou ait reconnu son ancienne professeure, votre mère était habillée en randonneuse allemande, vous-même ne l'auriez pas reconnue. Là aussi, nous nous tournons vers vous : que devons-nous faire, rester sur la position de votre mère ou le signaler à la police ?

Je n'ose émettre de jugement sur ce que votre maman disait et faisait, mais si vous le permettez je vous dirai qu'elle avait raison quand elle parlait de cet envahisseur omniprésent, invisible et invincible, qui serait né d'une mutation surnaturelle, comme celle que ce M. Kafka a racontée dans un livre. Les médecins avaient l'air de dire que votre maman était... n'avait pas toute sa tête. C'est faux, elle savait mieux qu'eux. C'est une chose que nous connaissons, Maria et moi, notre Cité a été envahie par des gens comme ça, des métamorphosés qui sont apparus une nuit et qui avant le matin ont soumis la Cité. Ceux comme nous qui n'ont pas réussi à fuir à temps vivent avec le sentiment que le piège s'est refermé sur eux et que le monde libre les a abandonnés à la soumission. Pour donner le change, nous nous montrons pleins d'élan et confiants en l'avenir, comme tout bon soumis se doit de l'être. Nos voisins voient avec sympathie notre bonne évolution vers la métamorphose bénie, mais jusqu'à quand sauront-ils attendre ? Chaque vendredi, à l'heure où la Cité entre en activité pour la grande cérémonie d'invocation des forces du Ciel, on se dit que c'est le dernier jour pour nous.

Ce n'est pas une critique car nous savons que votre maman le désirait, mais nous aurions aimé la voir reposer dans un cimetière fait de bonne terre selon nos vieilles coutumes, nous aurions un endroit dans ce monde où aux dates anniversaires nous nous retrouverions pour évoquer avec nos morts le passé et leur donner des nouvelles de leur pays et de leurs petits-enfants. Ce temps est fini, la mode est à la crémation. On ne se parle plus après la mort, nos cendres sont dispersées dans le vent et nos liens avec.

En Italie, nous disions « *sanguis martyrum, semen christianorum* » pour nous rappeler le sens et le coût des choses.

C'est cela que nous voulions vous dire. Si vous avez besoin de nous, n'hésitez pas à nous appeler.

Nous vous souhaitons beaucoup de bonheur, chère Léa.

Couvrez-vous bien, on dit que Londres est très humide et que les islamistes y font la loi.

Maria et Beppe.

PS : N'oubliez pas de nous dire pour l'argent. Nous tenons à payer notre dette, c'est notre façon d'honorer votre mère.

ROMAN

note n° 6

Au croisement de deux histoires

*Une responsabilité en héritage
ou les mots ont-ils un sens ?*

Je me suis longuement interrogée mais je ne suis pas arrivée à me décider : respecter la décision de maman, faire mon devoir de citoyenne et courir au commissariat... ou nous venger d'une autre manière ? Telle était la question. Posée autrement, je me dirais : où est la place d'un assassin, en liberté, en prison ou mieux dans un trou sous terre ? J'avais trop mal pour raisonner sereinement.

Maman avait réagi en mère et en enseignante, dénoncer un fils, un élève ne se fait pas, c'est faillir à un devoir sacré, à un instinct primordial.

Fort bien, mais ce fils n'est pas un fils et cet élève n'est pas un élève, c'est l'engeance du mal, de la pure racaille, estampillée par l'Éducation nationale et par la justice, c'est de l'islamiste pur jus, il terrorise ses parents, les habitants du quartier, les copains du lycée, agresse de vieilles dames dans le métro, il n'est plus très loin de commettre des crimes de masse ; c'est vis-à-vis des victimes à venir qu'il faut réfléchir et pas seulement du point de vue de ma mère, plongée dans un romantisme corporatiste suranné... un capitaine meurt sur son bateau, la main sur le cœur, un prof ne donne pas son élève, il le protège de ses bras. Ce monstre doit être retiré de la circulation. Pourquoi diable a-t-on supprimé les bagnes d'antan, Cayenne, la Guyane, la Nouvelle-Calédonie, les îles du Salut, c'est là qu'il faut expédier les malfaisants, plus loin encore, dans des îles désertes au milieu de nulle part, loin des routes maritimes, mieux, sur des îlots marécageux, infestés de moustiques géants et de dragons baveux, continuateurs des dinosaures, on verra à la fin qui a raison et qui a tort.

À ceux qui viendraient nous éventer avec le drapeau des droits de l'homme, nous offrirons quelques-uns de nos gentils petits monstres et nous attendrons de leurs nouvelles.

Demander conseil, oui mais à qui ? Ce que j'ai pu lire de bouquins et d'articles ne m'a en rien aidée, pas un n'a su m'expliquer ce qui distingue une agression de voyous d'une attaque raciale ou d'un attentat islamiste, pas un n'a réussi à m'expliquer ce qui distingue une religion de son interprétation, pas un ne dit clairement comment tout cela va finir. J'étais plus optimiste avant de savoir que les experts ne savent pas plus que ce qu'ils disent et écrivent. Qui nous dira le reste, je me le demande.

Je me donne une semaine de plus pour décider du cas de notre agresseur. J'ai vite abandonné l'idée ridicule de courir l'attraper par la barbe et de le sommer d'aller se dénoncer lui-même, il me traiterait de chienne et se donnerait par là un excellent motif pour m'égorger, les sentences contre la gent canine ne manquent pas dans leur vade-mecum. Ces gens n'ont pas de morale et aucun sens de la responsabilité, comment expliquer à ce voyou que des personnes comme nous, Maria, Beppe et moi, avons des valeurs et qu'il n'est libre que parce que nous nous sentons liés par la décision de sa défunte victime de ne pas le dénoncer ?

Qui sont ces gens, sont-ils des humains ? Je parle de ceux qui endoctrinent des enfants, les prophètes, les prédicateurs, les maîtres à penser, les parents, les grands frères, les cousins, les États. Tout commence là, l'endoctrinement, la soupe névrotique versée à grosse louche dans les têtes de piafs des Cités interdites. C'est là qu'il faut agir, après il est trop tard, dix armées n'en viendraient pas à bout, une fois indépendantes les cités sont invincibles, les attaquer reviendrait à se lancer dans des guerres coloniales, et par nature elles sont réprouvables et ingagnables. La métamorphose n'est pas qu'un changement de forme, elle libère des forces subatomiques, on ne les arrête pas à mains nues.

Je revenais sans cesse à cet envahisseur auquel Ute Von Ebert, maman durant ses absences, prêtait tant de pouvoirs mais ne lui donnait aucun visage, ne le nommait pas, ne disait rien de ses intentions, et de ses méthodes elle rappelait seulement que pour l'essentiel elles consistaient pour lui à s'installer discrètement aux frontières des pays et des agglomérations, à les épier patiemment, comme le caméléon fixe sa proie, et à attendre que le fruit mûrisse, c'est-à-dire se métamorphose et tombe. C'est vrai que c'est dur de se sentir observé par des ombres qui savent tout de vous, vos grands et petits péchés, tandis que vous ne savez rien d'elles sinon qu'elles sont bien plus patientes que vos meilleures sentinelles.

Tout cela a-t-il du sens ? Sûrement, oui, mais c'est quoi le sens, bon sang ?

C'est un peu l'histoire des extraterrestres, on croit évidemment qu'ils n'existent pas mais on croit aussi qu'ils sont parmi nous, gagnant sur nous de jour en jour, irrésistiblement, vivant au-dessus de nos têtes, sous terre ou au fond des océans ou derrière des barrières spatio-temporelles inviolables autant qu'introuvables. Cette façon de croire une chose et son contraire est cause de la ruine qui arrive, à la fin tout s'annihile. Je ne suis pas loin de le penser, peut-être est-il mieux de s'accrocher à un mensonge que de passer sa vie à balancer entre une vérité et une autre. Souvenons-nous de l'âne de Buridan mort entre une faim et une soif, faute de savoir distinguer l'urgent de l'important. On en est là, écartelés entre deux nécessités irréfutables. Mais la leçon est dite, il n'est rien que nous puissions faire pour les ignorants et les naïfs, ils meurent chaque jour de leur penchant à prendre des bobards gratuits pour des annonces légales.

Maman, qui a les pieds sur terre, adhère plutôt à l'idée de la métamorphose. Pour elle, les envahisseurs seraient des humains comme nous, un peu dégénérés au départ, métamorphosés par une overdose de foi, chose épizootique qui peut arriver au plus malin, mais plus naturellement aux idiots qui marinent dans la promiscuité incestueuse et s'enferrent dans des rites aliénants. Ce qui correspond bien à notre Cité radieuse où la vie tourne en rond sur elle-même.

Sauf que les choses ne sont pas si nettes qu'on le dit, tout se mélange, se confond, change d'un jour sur l'autre. Les mots n'ayant que le sens qu'on leur donne, à partir de l'endroit où l'on se trouve, je voudrais de ma place, ainsi confrontée à un dilemme, dénoncer ou pas un assassin qui fut l'élève de ma mère, donner un autre sens au mot responsabilité. Tenant compte du fait qu'on ne peut que si on sait, la responsabilité serait plutôt le devoir de savoir que le pouvoir de dire, plutôt l'obligation de faire que la propension à attendre. L'esprit de responsabilité refuse par principe le miracle, il ne croit qu'en lui-même, en son jugement. Il ne reste qu'à affiner l'idée pour en faire une nouvelle philosophie de la vie en société. Forte de cela, je reconnais la nécessité pour moi d'approfondir ma connaissance de ce qui nous arrive. Maman s'est dédoublée et sa conscience s'est perdue dans de mystérieux méandres, c'est cela qu'il me faut comprendre.

Je vais de ce pas reprendre mon enquête, je veux tout savoir de ce voyou de Laziz Boufliki, de ses parents, de cet inspecteur qui trouve qu'une attaque commise par un barbu habillé en moudjahid qui crache des exécrations canoniques comme il respire n'est pas forcément un attentat islamiste, ni même une agression caractérisée, je veux tout savoir d'Erlingen, des Von Ebert et des Von Hornerberger, je vais examiner minutieusement les écrits de maman, réfléchir à cette histoire de métamorphose spontanée, à cette histoire des trois *Imposteurs* et celle des *Immortels* d'Agapia, à cette histoire de train qui vient déporter la population de la ville au lieu de lui fournir secours et vivres. Je veux aussi comprendre par quel cheminement Maria et Beppe ont suivi maman dans ses hallucinations et ses voyages dans le temps. Je vais de même relire *Le désert des Tartares* de Dino Buzzati et le méditer à fond, cette histoire d'envahisseur qui surgit du désert est sans nul doute une bonne grille de lecture des pensées de maman et de son alter ego Ute.

Beaucoup de boulot en perspective, mais regarde-t-on à la dépense lorsqu'il s'agit de vie et de mort ?

Le désert des Tartares est sorti de son lit brûlant et répand sa lave sur les basses terres du monde

On pourrait parfaitement découvrir un jour que notre vie sur terre est une fiction et que nous sommes les rouages d'une intrigue universelle qui s'écrit toute seule, au jour le jour, l'éternité durant, tournant autour de l'axe des illusions et des vanités. Tout ne serait que vacuité et poursuite du vent. Ainsi parlait l'Ecclésiaste qui signait de la sorte sa lamentation : « *Moi, l'Ecclésiaste, j'ai été roi d'Israël à Jérusalem.* »

Ne changent dans le cycle que les saisons et quelques menus détails, l'habit, la langue, les manières, les noms des dieux, inhérents à l'époque et au lieu. Au terme de leur temps, les personnages meurent de l'une ou l'autre des mille et une maladies qui habitent cette drôle de planète et disparaissent dans le cendrier universel mais peuvent parfois reparaître dans un prochain chapitre comme souvenir du passé, lequel temps n'a évidemment pas existé, pas plus que le présent n'existe ou que le futur n'existera. Sans une vraie vie, point d'allant, point de temps.

Ce sera certes une découverte douloureuse, nous croyons si fermement que nos cinq sens rapportent à notre cerveau la réalité du monde que nous sommes persuadés que celui-ci, à son tour, nous dit la vraie vie et ses mystères. Or la vie n'existe pas et ne recèle aucun mystère qui vaille une veillée, c'est une illusion, un mirage persistant, une chimie foireuse qui dépose ses scories et sa lie au gré des humeurs du cosmos. Nos sens nous disent ce que nous attendons qu'ils disent, ils sont programmés à l'usine par le système, lui-même artificiel, qui gouverne les hommes et que ma chère maman appelait les quatre piliers de l'humanité : l'État, la Nature, la Religion, le Marché, reprenant à sa manière les idées du très perspicace ermite de Walden, le sieur Henry David Thoreau.

Voilà pourquoi la vie apparaît pour beaucoup comme une épuisante répétition des mêmes pauvres bluettes. Le déjà-vu, rémanence de virtualités passées et des superstitions qui s'y attachent, est bien la preuve que le monde n'a d'existence que dans et par l'imagination et que celle-ci est d'une indigence éprouvante.

C'est en regardant la Cité de la fenêtre de ma chambre au premier étage du pavillon que j'ai pensé au roman de Dino Buzzati *Le désert des Tartares*. Je rêvassais, je méditais sur la nullité de la vie que la mort vainc si facilement, sans même la voir en vérité, maman me manquait atrocement, le deuil n'avançait pas puisque la justice et la vérité n'étaient pas passées. Là-bas, au loin, par-delà la voie ferrée du RER, bordant un interminable terrain vague, tristement plat, aride comme une peau morte, que des ombres improbables traversent de loin en loin, aux heures grises, un clochard, un fugitif, un chien, une caravane parfois qui rallie par le plus court on ne sait quel mystique jamboree, apparaît dans le limbe de l'horizon le sommet crénelé d'une muraille fortifiée : la Cité avec ses barres et ses tours. Tout cela semble appartenir à un autre monde, proche puisqu'à portée du regard mais inatteignable à tout autre point de vue. Le tableau est inscrit dans ma rétine et ma mémoire, la Cité les remplit en entier tant sa présence est écrasante, je la vois depuis mon enfance mais comme une chose rapportée, irréelle et énigmatique, familière pourtant, menaçante comme un volcan sommeillant, qui n'est là derrière ses murs que par l'effet d'une sombre magie ou un déplorable accident de l'Histoire. C'est un bout de monde transplanté lors d'une fin de cycle historique qui à présent développe ses racines hors-sol et hors contexte. Exobanlieue, disais-je, une vie entre parenthèses, en orbite autour d'un astre mort.

J'y avais bien quelques amies d'école et de lycée, on se rendait visite à l'occasion mais elles préféraient venir chez nous, en Zone libre, quand elles se pensaient suffisamment fortes pour réussir à déjouer l'inflexible surveillance des apôtres, franchir la barrière invisible et par quelque nouveau chemin de contrebandier traverser la zone d'exclusion, le no man's land, plutôt que de m'inviter chez elles et voir un régiment de Mohamed grimaçants débouler de leurs nids-de-pie pour venir fouiller nos sacs, nos pensées, nos dessous et nous livrer à la justice des exégètes. Un jour, ils nous ont coincées, ils étaient une douzaine, excités à bloc, persuadés d'avoir levé un gros lièvre. Telle Perrette, légères et court vêtues, nous allions à grands pas guillerets, ayant pour la circonstance mis nos plus chics habits, nous nous rendions en troupe serrée chez Fatima, du 6/35, pour son onzième anniversaire. Wesh ?... anniversaire ?... il y en a un seul, le Mouloud, rétorqua le surveillant-chef et on le célèbre à la mosquée ! « *Allah est grand !* » cria le chœur. Après la fouille et la saisie de nos petits cadeaux, un livre, une BD, un CD, un bijou kabyle, un bibelot, un pin's, une poignée de carambars, les sidis m'ont ordonné de ne plus revenir sinon ils m'égorgeraient avec une scie à bois, et aux filles de la Cité ils ont promis le grand châtiment s'ils les reprenaient à introduire des infidèles dans la Cité interdite. En attendant, ils les ont marquées d'un M qui voulait dire Mécréante. « *Allah est grand !* » cria le chœur. À onze douze ans, on ne se fait pas répéter deux fois pareille menace, j'ai rayé la Cité de mon carnet d'adresses ; les amies étaient si pétrifiées qu'elles ont rapetissé de moitié, et toutes ont fait un truc, qui un choc diabétique ou une tachycardie frénétique, qui une explosion des ganglions ou une perte prolongée de la parole. Le temps a passé mais pas les séquelles. Je me demande ce que les pauvrettes sont devenues, ont-elles résisté, ont-elle fui, ont-elles été rapatriées, sont-elles tombées au champ d'honneur, se sont-elles soumises par devoir familial, conjugal, religieux ou autre, ont-elles rejoint les forces de l'Axe ? Ou, tout simplement, ce que le monde entier leur souhaite, peut-être ont-elles rencontré la liberté et l'amour et vivent-elles heureuses et indolentes comme Dieu en France, comblées et insouciantes.

« Vivre comme Dieu en France » n'est pas une promesse réservée aux riches et aux élus, elle est à la disposition de qui veut, elle a été inventée par les juifs d'Europe centrale, des ashkénazes qui savaient mieux que quiconque ce que pogrom, ghetto et rouelle voulaient dire, lorsque la France, la première dans le monde, a émancipé ses juifs et leur a octroyé le statut de citoyen de plein droit. « *Men ist azoy wie Gott in Frankreich* », chantaient-ils dans leur yiddish de lamentation. Pragmatiques, les Allemands, amateurs invétérés de philosophie, de Graal et de contes campagnards, et adeptes de sociétés secrètes, se sont émerveillés de l'intérêt stratégique de ce pays où Dieu avait élu domicile, « *Glücklich wie Gott in Frankreich* », chantaient-ils en toquant la chope, le regard embué tourné vers la ligne bleue des Vosges.

Ah, gentil Seigneur, que sont mes amies de la Cité devenues ? Je ne les ai plus revues.

Et très vite j'ai été gagnée par une étrange fascination. Je regardais la Cité comme de son palais hollywoodien la baronne Ute Von Ebert observait la banlieue et l'arrière-pays de sa merveilleuse Erlingen, imaginant ici des étrangers dangereusement incertains, là un envahisseur épouvantable porteur de toutes les perversions dont la nature est capable quand elle se corrompt dans ses gènes, et là, sous son balcon, des traîtres qui comptent leurs deniers, et au coin de la rue des lâches qui se débinent avant d'avoir entendu le premier coup de feu et vu la queue d'un soudard.

J'avais aussi sans doute le regard de maman qui s'était persuadée dans son délire traumatique que notre cafouilleuse Cité s'était métamorphosée en avant-poste d'un vaste empire tenu en laisse par des êtres hautement subversifs qu'elle appelait les Serviteurs universels. Quels vices et quelles cruautés ne leur prêtait-elle pas ?

Dino Buzzati avait bien compris cela, dès les années quarante, ces fièvres de l'imagination, ces peurs sourdes du ventre qui naissent lorsqu'on est isolé dans un blockhaus à la lisière d'un désert anormal au-delà duquel est un royaume obscur, fief d'un ennemi implacable gavé de serments antédiluviens et de haines éternelles qui se prépare à se répandre sur la planète et à mettre ses peuples à la chaîne. Il ne se montre pas, ne donne aucun signe de vie, mais dans l'attente des suites l'imagination se substitue aux sens naturels pour multiplier les hypothèses, remplir l'esprit de visions d'horreur et faire monter des entrailles des angoisses dantesques.

Le désert des Tartares raconte les journées interminables d'une armée en poste dans une citadelle du bout du monde, le fort Bastiani, qui s'épuise dans une routine immuable à surveiller l'horizon, au-delà d'un désert brumeux et énigmatique, appelé sans raison connue « le désert des Tartares », où un Royaume mythique prépare depuis des temps immémoriaux une nouvelle attaque contre leur pays. On l'attend depuis si longtemps cet assaut qu'on n'y croit plus, mais on le souhaite pour en finir, pour rompre l'absurde de la situation et s'il échet rencontrer l'honneur et la gloire dans ce combat titanesque. L'auteur ne le dit pas mais la victoire de l'ennemi est tacitement regardée comme inéluctable. Qui a peur se sait vulnérable et admet implicitement sa défaite. En attendant cette fin héroïque, les soldats combattent l'ennui qui s'appesantit douloureusement sur leurs épaules, l'inquiétude délétère qui assombrit chaque minute de la vie du fort, l'usure du temps qui désagrège la pierre et le fer, la promiscuité qui rapetisse le regard et la peur contagieuse qui englue et brouille l'esprit.

Le lieutenant Giovanni Drogo, vingt-cinq ans, frais émoulu de l'académie militaire, arrive au fort Bastiani où il est affecté pour un service de quatre années. Son chef, le commandant Matti, y fait régner une discipline de fer, la forteresse doit briller comme si le roi et sa cour devaient la visiter demain à la première heure. Il comprend cela, il sait que dans des conditions extrêmes d'isolement, vivant perpétuellement sur le qui-vive, face à l'inconnu, les hommes doivent s'empêcher de regarder le vide qui s'ouvre sous leurs pieds, ils sombreraient corps et biens, ils deviendraient rapidement ingouvernables s'ils se concentraient un seul instant sur l'inanité de leur mission : vivre dans une forteresse d'un autre âge, impressionnante dans son décor de rocaille et de pics enneigés, mais sans valeur stratégique et dépourvue de moyens de défense efficaces, pour surveiller un désert irréel, attendant de voir surgir un ennemi que nul n'a jamais vu, qui n'est connu que par le vague souvenir d'une attaque datant d'une époque lointaine dont l'Histoire n'a retenu ni les causes ni les résultats.

Le jeune officier succombe vite à la magie des lieux. Il sent se développer en lui « *un vague pressentiment de choses irrévocables* ».

Au fil du temps, il se découvre une autre raison de s'accrocher à la discipline : une maladie incurable le ronge, il sait qu'elle va l'emporter. Résister ne souffre pas d'exception, on résiste à l'ennemi, on résiste à la maladie et on résiste à l'ennui, si on lâche d'un côté, tout s'effondre. Sera-t-il là, vivant, debout sur ses jambes, avec ses hommes, lorsque l'ennemi lancera son assaut ? La question lui tient lieu de repère, c'est une idée fixe, il espère prolonger assez son existence pour vivre l'arrivée de l'ennemi et le combattre jusqu'à la mort. Que sa mort soit une mort de soldat et non la mort dégradante du grabataire.

Lui qui veut tant être rapatrié pour se faire soigner et poursuivre sa vie d'homme parmi les siens, le voilà qui espère se faire oublier de la hiérarchie, usant de tous les subterfuges pour rester à son poste face au silence et à l'immensité glacée, et quand enfin viendra l'attaque, mourir en soldat. Le piège de l'attente est là, on ne rompt plus quand le rendez-vous avec l'ennemi et la mort apparaît comme étant celui de l'héroïsme et du martyre. À ce point, la fascination n'a plus besoin de l'ennemi pour fonctionner, attendre dans l'ignorance et la peur sourde se suffit, et la mort simple et banale qui arrive est en soi une récompense exaltante.

Il en va chez le soldat comme chez le pauvre. Quand la misère s'installe durablement et que s'amenuise l'espoir jusqu'à disparaître, se produit chez l'un et chez l'autre cette métamorphose qui leur fait se complaire dans leur déchéance et attendre la fin avec une vraie belle sérénité. « *Affreux, sales et méchants* », et fiers de l'être.

En rapprochant ceci de cela, la vision d'Ute, celle de maman et celle de Dino Buzzati, il y aurait une réflexion à tirer : cet ennemi qui nous guette à la lisière de notre monde, qui nous maintient dans une attente usante avant de nous investir et de nous achever, n'est pas véritablement un ennemi, c'est se tromper que de le considérer comme tel car pour lui nous ne sommes pas un ennemi, il a besoin de nous pour réaliser le destin sublime qu'il croit être le sien par la volonté de son Dieu. Nous sommes l'offrande, nommément désignée par ses Saintes Écritures, qu'il monte en holocauste afin de contenter son Dieu et mériter son paradis. Nous sommes un moyen, rien de plus, un mouton, un coq, un captif, un symbole. Que veut dire « ennemi », le mouton est-il l'ennemi du croyant qui le sacrifie à son Dieu ? Le croyant est-il l'ennemi du mouton qu'il élève, engraisse, pour, au temps prescrit, l'offrir à la divinité ? Il ne s'agit pas de combattre un ennemi mais de démonter une fantasmagorie dont nous ne voyons que la partie émergée, que peu à peu on découvre si profondément enfouie dans son inconscient qu'on voudrait plutôt l'aider à s'en guérir qu'à la combattre. Il saute vite aux yeux que l'outil de démontage ne peut être qu'une autre fantasmagorie aussi puissante. Qui va l'inventer, qui saura la manipuler ? Des penseurs de l'extrême peut-être, des contre-prophètes si le moule qui les fabrique existe.

Mais revenons à Giovanni Drogo, promu au fil des ans au grade de capitaine, puis de commandant, que le destin mène vers la fin. Un jour l'armée le rappelle au quartier général, pour raisons médicales, ou parce qu'il a fait plus que son temps dans la forteresse, bientôt une trentaine d'années, ou tout simplement parce que l'état-major a pris la décision de fermer le fort dont l'inutilité s'était bel et bien confirmée au fil des ans. C'est toute une vie qui s'arrête pour lui, au propre et au figuré.

Alors qu'il est sur le chemin du retour, allongé sur une civière, vieilli et mourant, il croise des troupes empressées qui montent en renfort à la citadelle, l'ennemi a lancé son attaque, frustrant le soldat et le commandant Drogo d'une bataille mythique et d'une mort unique, à son poste, les armes à la main, à la tête de ses hommes. Le voilà condamné à mourir dans un hôpital militaire, miné par la maladie, la tristesse, l'ennui et le regret.

Le destin est injuste, nous dit cette histoire, se remettre à lui est chose à ne pas faire. Quelle pauvre fiction que la vie.

ÉPILOGUE

C'est bien à la fin que l'Histoire s'écrit. Au début elle n'est que faits de hasard et, tout le long de sa marche, elle va de-ci de-là, obéissant à on ne sait quoi, son flair, son instinct, sa logique. Parce que nous sommes là, sur son chemin, elle nous emporte dans son mouvement pour nous jeter plus loin, toujours assez tôt, sur quelques berges avec pour tout bagages des questions et de pauvres souvenirs.

Un livre qui reste à écrire

Une promesse doit être tenue,
fût-ce à moitié

Avant longtemps, j'ai découvert que notre histoire n'était pas racontable en la forme d'un roman, j'avais présumé de mes forces littéraires. L'histoire est multiple, elle se déroule sur plusieurs plans, plusieurs pays, plusieurs strates historiques, impliquant des personnes n'ayant pas de lien entre elles, et à cela s'ajoute le fantastique, tout se métamorphose sous nos yeux, un moment après l'autre.

Si on ne sait pas qui est qui dans un roman, comment l'écrire, à deux mains qui plus est, et à distance pour tout compliquer ? Comme le lirait-on ?

Il m'a finalement paru que le mieux est de la fournir au lecteur dans l'état où elle se trouve, en pièces détachées, des lettres, des textes divers, quelques chapitres plus ou moins complets, des notes de lecture, les uns de maman, les autres de moi. C'est encore comme ça qu'elle est la plus claire. Mais promis, il aura en main les principaux éléments du puzzle, qu'il complétera si besoin en puisant dans son propre espace, lui aussi assiste impuissant à l'envahissement du monde, lui aussi subit le terrorisme au quotidien, lui aussi constate que tout se métamorphose autour de lui, lui aussi voit l'univers virtuel se plaquer sur le monde réel et le remplir de significations contradictoires et éphémères, et il découvre comme chacun que les quatre piliers de notre existence, l'État, le Marché, la Religion et la Nature, ne sont que tambours entre les mains de méchants bateleurs. Je voudrais juste lui faire part de ce qui a contrarié mes logiques internes, il aura peut-être les mêmes réticences.

En premier, j'ai du mal à croire qu'une métamorphose puisse aller aussi loin, un homme ne devient pas un cafard, comme Kafka a osé l'imaginer. Élisabeth Potier ne pouvait pas se confondre aussi intimement avec une Ute Von Ebert qu'elle ne connaissait ni d'Ève ni d'Adam et qui de surcroît n'existe pas. Je ne saurais pas rendre ça dans un roman. Je n'arrive pas davantage à imaginer comment maman a pu autant se fondre dans la vie si complexe du clan Von Ebert. Il n'y a plus de repères dans cette distribution des rôles, plus de frontières entre leurs histoires. Se poser la question « Qui est responsable et de quoi » a-t-il encore du sens ?

En point deux, je n'adhère pas à l'idée selon laquelle les vagues migratoires qui, entre le XVIIIe et le XXe siècle, ont drainé des millions d'Européens vers l'Amérique et celles d'aujourd'hui qui, venant d'Afrique, du monde arabe et d'Asie, convergent vers l'Europe sont de même nature, comme le fait de les mettre en parallèle semble le suggérer, elles divergent sur au moins deux aspects : les migrations vers l'Amérique étaient désirées par le gouvernement de ce pays, et organisées en tant que migration de peuplement et de remplacement des Amérindiens qui refusaient de s'intégrer dans le Nouveau Monde de l'oncle Picsou, alors que les migrations actuelles ne sont pas désirées par les pays européens sauf l'Allemagne qui, obéissant aux injonctions de ses retraités et de leurs fonds de pension, en a accueilli une bonne quantité, pour faire l'appoint en cotisations et en force de travail, sans toutefois officialiser sa démarche ; elles sont plutôt vues comme des invasions visant l'éradication de l'autochtone, l'homme blanc, et son remplacement par le nouveau maître, l'homme de couleur, envoyé par Dieu. Le troisième est que, contrairement à l'Amérique qui, hors le respect de la loi, n'imposait aucune condition d'intégration aux migrants, l'Europe exige d'eux une intégration poussée, rapide, instantanée, allant jusqu'à l'assimilation conforme, exigence que les migrants de confession musulmane ne peuvent accepter sans se mettre à mal avec leur religion et encourir la colère de leur communauté. La question se pose quand même : le monde peut-il soumettre l'islam dont la mission est précisément de soumettre le monde ? Allah acceptera-t-il de perdre ?

Dans ses lettres, Ute Von Ebert pointe un envahisseur qui n'est d'aucune manière identifié, elle constate qu'il a conquis le monde et qu'il vient à demeure détruire le dernier paradis sur terre qu'est Erlingen. Avant cela elle a longuement salué les héroïques migrants allemands des siècles précédents qui ont fait la puissante Amérique et forgé son goût sans limite pour la liberté mais qui se sont plutôt bien accommodés de l'esclavage des Africains, migrants malgré eux, qu'ils ont cependant fini par abolir à peu de distance de la France et du Royaume-Uni, mais il aura fallu une guerre civile qui compta bien sept cent mille morts. Pourquoi, dit en passant, l'avoir appelée « guerre de Sécession », c'était une guerre de civilisation, elle opposait deux visions du monde et de l'homme et ne pouvait se conclure que par la disparition de l'un ou de l'autre.

Élisabeth Potier, elle, nous parle de notre temps, elle s'intéresse moins à la migration des hommes qu'à celle des idéologies, lesquelles voyagent avec les personnes mais pas seulement, tout est bon pour passer la frontière. Ce qui l'inquiète ce sont ces croyances pourries que les sociétés démocratiques attirent comme le miel attire les mouches, et celles qu'elles développent en leur sein pour le plaisir de s'étourdir, elle les pointe toutes, sans oublier cet islamisme vagabond, mélange de religion, de féodalisme et d'affairisme. J'avoue ne pas savoir qui sont ces zélés Serviteurs universels dont l'ombre planerait sur le monde. Sont-ils les cousins des islamistes des sur-islamistes, des surhommes aux pouvoirs démultipliés, qui surgiraient un jour de la métamorphose des islamistes ? On ne voit pas si elle parle d'une réalité existante, d'une légende revisitée ou de quelque chose à venir. Tout cela est flou et mérite d'être précisé. Le lecteur jugera en fonction de ce qu'il voit autour de lui.

Au bout, il tirera de ce récit l'une ou l'autre morale : la première est que le monde est un, il s'y déroule la même éternelle histoire, la quête du bonheur qui jette les gens sur les routes de la vie où les attend plus souvent le malheur que la félicité ; l'autre leçon est que l'Histoire ne sait rien de l'avenir et qu'il peut arriver n'importe quoi, les mêmes ingrédients ne font pas forcément la même soupe, un train peut en cacher un autre et il n'est pas prouvé, loin de là, que Dieu est le meilleur secours.

Il n'y a rien à ajouter, il n'y a pas de mots pour dire ce que nous ne savons pas.

FIN

POST-SCRIPTUM :

Nele, la petite élève de maman, m'a envoyé un e-mail. Il m'a interpellée. Je sens qu'il va me faire beaucoup réfléchir. À ce stade, je ne peux faire mieux que de le citer in extenso. Le voici :

Bremen, 2016 may 18, 14 : 16
From : Cornelia Von Hornerberger
To : Léa Potier

Bonjour mademoiselle Léa,
Je suis Nele, l'élève de votre mère. Papa et maman m'ont dit qu'elle était malade et qu'elle reviendrait bientôt à Bremen mais je sais reconnaître quand ils mentent, ils répètent trois fois la même phrase comme si j'étais sourde et idiote. La secrétaire de papa fait l'ignorante, les domestiques sont des folles, lorsque je les somme de me dire la vérité elles roulent des yeux comme si elles craignaient de voir surgir le loup.
J'ai compris que Mme Potier était morte et que je ne la reverrais plus. J'ai bien pleuré. Je suis allée dire à maman : « Je viens t'annoncer quelque chose que tu ne sais pas : Mme Potier est morte. » Elle a été bien surprise et s'est mise à chialer. Les parents sont trop bêtes.

Avec Mme Potier, j'avais commencé un journal intime. Elle pensait que cela m'aiderait à me comprendre et à comprendre les autres. C'est vrai, je vois tout plus clair quand j'écris, je suis obligée de réfléchir, de chercher les mots justes et de construire des phrases logiques. Comme elle menait des recherches sur les anciens Von Hornerberger et sur une autre famille, les Von Ebert, qui ont émigré ensemble en Amérique où elles ont gagné beaucoup d'argent, j'ai voulu moi aussi écrire une histoire, celle des Potier. Voilà pourquoi je vous écris, j'ai mille questions à vous poser, si vous êtes d'accord. En voici quelques-unes pour commencer :

Quand et dans quels pays vos ancêtres ont-ils émigré et comment ont-ils gagné leur fortune ?

Comment s'appelait le premier migrant ?

D'où est-il parti, dans quel bateau, vers quelle ville ? Et comment a-t-il été accueilli ?

Est-ce qu'il y avait des habitants dans ce pays ? Étaient-ils des sauvages comme les Indiens ? Quelle langue parlaient-ils ? Vos ancêtres avaient-ils des esclaves noirs ? Étaient-ils esclavagistes ou partisans de l'abolition ?

Pourquoi les descendants de vos ancêtres sont-ils revenus en France ?

Existe-t-il en France et en Angleterre des musées de l'Émigration comme celui de Bremerhaven et celui de Hambourg que je pourrai visiter un jour ?

De quoi est morte Mme Potier ? Maman m'a dit qu'elle a été agressée dans le métro ? Pourquoi ?

Est-ce que votre maison en Seine-Saint-Denis est aussi grande que la nôtre à Bremen ? Vos serviteurs sont-ils aussi menteurs que les nôtres ?

Pourquoi vivez-vous à Londres ? Est-ce que vous pourrez venir à Bremen, l'appartement de votre maman est-il toujours disponible, ses affaires y sont-elles toujours ?

Je peux vous envoyer d'autres questions, si vous êtes d'accord. J'aurai aussi besoin de photos d'elle, de vous, de votre maison et de votre ville, je les collerai dans mon journal, ça m'évitera les descriptions, j'aime pas trop ça.

Si je peux, je tirerai du journal un roman. Je lui donnerai pour titre *L'histoire des Potier*. Qu'en pensez-vous ?

Au revoir. Bye. Tschüss. Auf Wiedersehen.

Nele.

Composition Nord Compo.
Achevé d'imprimer
sur Roto-Page
par l'Imprimerie Floch
à Mayenne, en septembre 2018.
Dépôt légal : septembre 2018.
1ᵉʳ dépôt légal : juin 2018.
Numéro d'imprimeur : 93207.

ISBN 978-2-07-279839-9 / Imprimé en France.

346258